HISTÓRIAS PARA O CORAÇÃO DA MÃE

ALICE GRAY

organizadora

HISTÓRIAS PARA O CORAÇÃO *da Mãe*

Originally published in English under title:
Stories for a Mom's Heart by Alice Gray

Published by Multnomah Publishers, Inc., 204 W.
Adams Avenue, P.O. Box 1720 - Sisters,
Oregon 97759 USA
All non-English language rights are contracted through:
Gospel Literature International, P.O. Box 4060,
Ontario, California 91761-1003 USA

Tradução:
Neyd Siqueira

Revisão:
Artemis Fernandes Pinto

Capa:
Douglas Lucas

Diagramação:
B.J. Carvalho

Editor
Juan Carlos Martinez

Coordenador de produção:
Mauro W. Terrengui

1ª edição - março - 2005
Reimpressão - abril - 2005
Reimpressão - maio - 2007
Reimpressão - abril - 2011

Impressão e acabamento:
Imprensa da fé

Editora Hagnos
Av. Jacinto Júlio, 27
04815-160 - São Paulo - SP
Tel (11)5668-5668
hagnos@hagnos.com.br
www.hagnos.com.br

Dados Internacionais de Catalogação na Publicação (CIP)
(Câmara Brasileira do Livro, SP, Brasil)

Gray, Alice
Histórias para o coração da mãe / organizado por Alice Gray;
[Tradução de Neyd Siqueira]. - São Paulo, SP: Editora Hagnos, 2005.

Título original: Stories for a mom's heart

ISBN 85-243-0305-0

1. Mães - Conduta de vida 2. Mães - Vida religiosa 3. Vida cristã I. Gray, Alice

04-1341 CDD-248.8431

Índices para catálogo sistemático:
1. Mães: guias de vida cristã: Cristianismo 248.8431

Para Festejar as Mães

Minha mãe plantou sementes de fé
E as regou com amor.
Alice Gray

ÍNDICE

UM TRIBUTO ÀS MÃES

Achei Você Ali – *Kathy Kingma* 13

PRIMEIROS ANOS

Carta de uma Mãe a um Filho Iniciando o Jardim-de-infância – *Rebecca Christian* 17

Este é um Lar Onde Moram Crianças – *Judith Bond* 19

Bênção Dupla – *Kathryn Lay* 20

Nova Maternidade – *Pamela Scurry* 22

Café com os Ursos Polares – *Allison Harms* 23

Tempo Só para a Mamãe – *Crystal Kirgiss* 26

Esperança para o Futuro 30

Cartas de Amor para Meu Filho Não Nascido – *Judith Hayes* 31

Para Meu Filho Adulto 34

CRESCENDO

O Que Uma Mãe Diz – *Robin Jones Gunn* 38

Não Mais Beijos Lambuzados – *Erma Bombeck* 41

Vendo Uma à Outra sob Uma Luz Diferente 44
– *Susan Manegold*

A Vida e Seus Tesouros – *Harriet Beecher Stowe* 46

Ela Tem Dezessete Anos – *Gloria Gaither* 47

Visita dos Filhos Adultos – *Erma Bombeck* 50

Trabalho Silencioso – *Henry Ward Beecher* 52

Temporada do Ninho Vazio – *Joan Mills* 54

AMOR

Os Bóbis – *Linda Goodman* 60

Seu Caminho de Amor – *Clare DeLong* 63

O Presente de Annie Lee – *Glenda Smithers* 65

O Sacrifício de Uma Mãe – *James M. Ludlow* 69

Filhos Especiais, Meus e de Deus – *Nancy Jo Sullivan* 70

Você Tem um Minuto? – *David Jeremiah* 74

Seu Amor – *E.H. Chapin* 76

Sacrifício de Amor – *Kathy Kingma* 77

Natal Perdido e Achado – *Shirley Barkdale* 79

INSPIRAÇÃO

Lembranças Perfumadas 86
– *Sandra Pickesimer Aldrich & Bobbie Valentine*

Uma Grande Dama – *Tim Hansel* 90

Todas as Crianças Chegaram? 92
O Legado da Mãe – *Immanuel Kant* 94
Por Que – *Adria Dobkin* 95
Vista da Minha Janela – *Robin Jones Gunn* 96
O Que Realmente Importa 98
Quando a Lua Não Aparece – *Ruth Senter* 99
Sou a Oração de Uma Mãe 101
Mulher Virtuosa 104
Agradecimentos 107

Um Tributo
Às Mães

Achei Você Ali

Kathi Kingma

Peguei na sua mão para atravessar a rua, subir ladeiras, cruzar vales. Embora o vento soprasse, embora eu tropeçasse, você nunca me deixou cair. Algumas vezes, eu não levantava os olhos para ver seu rosto, mas via a sua mão. Era duas vezes maior que a minha. Eu tentava dar passos largos como os seus, ser como você, mas tinha de dar dois para cada um dos seus passos. Quando minhas pernas se cansavam, você me carregava. Era divertido ver tudo lá de cima, onde eu não tinha de esforçar-me tanto para manter-me ao seu lado. Sempre me senti segura junto de você, mãe. Enquanto estivesse ali, eu sabia que as coisas dariam certo. Quando ficava com medo, procurava a sua mão e sempre a encontrava.

Quando fiquei mais velha, quis andar por minha conta. Aprendi a navegar pelos caminhos da vida, subir montes e atravessar vales. Tive um vislumbre da liberdade e independência. Você continuava ao meu lado e me ajudava a levantar quando eu caía.

Agora estou crescendo. Meu passo se iguala ao seu. Olho você nos olhos e não me canso quando andamos juntas. Você, porém, não mudou. Continua ali como apoio, como conselheira, como um amor imutável. Por sua causa, um pequenino vai correr para mim algum dia. Cheio de entusiasmo, vai andar comigo pelas ruas, pelos montes e pelos vales. Tentará dar passos grandes como os meus. Tropeçará e eu o levantarei. Vai procurar minha mão e me encontrará ali.

PRIMEIROS ANOS

Primeiros Anos

Carta de uma Mãe a um Filho Iniciando o Jardim-de-Infância

Rebecca Christian

Querido George:

Quando seu irmão mais velho, seu cachorrinho e eu levamos você para a escola hoje, você não tinha idéia dos meus sentimentos.

Estava tão eufórico que guardara e tirara da mochila os lápis de cor e a tesoura de ponta redonda uma porção de vezes.

Vou sentir muita falta daquelas manhãs preguiçosas quando acenávamos para seu irmão e irmã ao saírem para a escola. Eu me sentava para tomar café e ler o jornal, dando a você revistinhas para colorir enquanto assistia Vila Sésamo.

Por ser meu filho mais novo, eu já aprendera algumas coisas quando você chegou. Descobri que os dias aparentemente infindáveis da primeira infância desaparecem como um relâmpago. Eu mal tinha piscado duas vezes e seus irmãos mais velhos estavam começando a ir à escola tão contentes quanto você esta manhã.

Sou alguém de sorte. Pude escolher se queria ou não trabalhar. Quando chegou a sua vez, os prêmios sedutores de um avanço na carreira e um salário dobrado já haviam perdido o seu encanto. Brincar nas poças d'água com você em suas botinhas vermelhas lustrosas ou "só mais uma" releitura de seu livro favorito, *Frog and Toad Are Friends* (A Rã e o Sapo São Amigos), tinham mais importância.

Você não foi para a pré-escola e eu não sou exatamente Maria Montessori. Espero que isso não vá atrasá-lo. Você aprendeu números, ajudando-me a contar as latinhas de refrigerante vazias que devolvíamos ao supermercado. (No geral conseguia convencer-me a deixar que comprasse alguma coisa gostosa com o dinheiro que recebíamos de volta.)

Não adotei o método Palmer, mas você escreve bem o seu nome na calçada com giz, em letras maiúsculas para parecer mais importante. De alguma forma aprendeu as nuanças da linguagem. Outro dia você me perguntou porque o chamo de "querido" quando estamos lendo histórias e de "Bud" quando está me ajudando com os serviços domésticos. Minha explicação da diferença entre uma atitude carinhosa e outra de camaradagem pareceu satisfazê-lo.

Tenho de admitir que uma imagem da minha pessoa enquanto você está na escola se desenvolveu em minha mente. Vejo a mim mesma atualizando todos os álbuns de fotografia e começando um romance que sempre quis escrever. À medida que o verão foi passando e brigas mais freqüentes surgiram entre você e seus irmãos, fiquei à espera deste dia.

Nesta manhã então, subi com você a rampa íngreme até sua sala de aula, com uma foto do presidente em uma parede e outra do Bambi do lado oposto. Você encontrou na mesma hora o cabide para pendurar o casaco, com o seu nome acima dele, e me deu um de seus abraços caracteristicamente fortes, apertados demais. Desta vez estava pronto para afastar-se antes que eu o fizesse.

É possível que algum dia você leve para o jardim-de-infância um garotinho(a) de olhos grandes como os seus e um riso espontâneo, no primeiro dia de aula. Quando voltar-se na porta para dizer até logo, ele ou ela estará tão interessado na conversa com um novo amigo que nem irá notar. Mesmo enquanto sorri, vai sentir algo quente em sua face...

E então saberá.

Amor, Mamãe

Este é um Lar Onde Moram Crianças

Judith Bond

Você talvez não encontre tudo no lugar,
Amigo, ao entrar aqui.
Mas, este é um lar onde moram crianças,
Nós as amamos muito.
Você pode encontrar marcas de dedinhos
E manchas na parede.
Quando as crianças se forem, nós iremos limpá-las,
No momento estamos jogando bola.
Há, porém, uma coisa da qual temos certeza,
Essas crianças nos foram dadas por empréstimo.
Num dia estão sempre à sua volta,
Da próxima vez em que olha, já sumiram.
Teremos então uma casa arrumada,
Quando estiverem por conta própria.
No momento, é aqui que as crianças moram,
um lar amado e bem utilizado.

Bênção Dupla

Kathryn Lay

No dia em que meu marido e eu soubemos da adoção iminente de nossa filha de nove meses, alegremente convidamos nossos melhores amigos para celebrar.

Enquanto ríamos e conversávamos no restaurante, contando a eles o que sabíamos de nossa filha que logo chegaria e por quem havíamos orado muito, percebi que um casal mais velho na mesa atrás de nós ria conosco e acenava com ar de compreensão, enquanto expressávamos nossa euforia e nervosismo.

Depois de dez anos de esterilidade, de orações, e de oito meses de aulas na escola de pais, além de trabalhos e estudos feitos em casa – estávamos jubilosos com as boas notícias. Nossa felicidade transbordava enquanto falávamos e planejávamos no restaurante.

Ao sair, o casal parou em nossa mesa.

– Parabéns, – disse a mulher, batendo em meu ombro.

– Obrigada, – respondi, grata por não estarem zangados com o barulho que fazíamos.

Ela se abaixou um pouco e disse, – Tenho vários filhos. Tenho uma neta que foi adotada há pouco por alguém. Eu nunca a vi. Vendo a sua alegria, sinto em meu coração que em algum lugar ela está sendo amada e cuidada por uma família como a sua.

Dando outra palmadinha em meu ombro, ela sussurrou, – Vou orar por você e pela sua garotinha.

Numa ocasião em que estávamos nos sentindo abençoados e transbordando de júbilo, Deus nos deu oportunidade para ser uma bênção e um consolo para outrem. Oro por essa avó, que Deus continue a dar-lhe paz e conforto sobre a neta que não conhece. E sei que meu marido e eu estávamos em suas orações naquela noite.

Os braços de uma mãe são feitos de ternura,
e os filhos adormecem tranqüilos neles.

Victor Hugo

Nova Maternidade

Toda mãe pratica o ritual de contar dedinhos dos pés e das mãos, segurando a cabecinha em uma das mãos, acariciando o cabelo ralo, e tentando determinar qual lado da família é responsável por essas orelhas e esse nariz – todos os ritos da nova maternidade, tanto privados quanto públicos que marcam o início de um mundo inteiramente novo.

Pamela Scurry
Extraído de Cradle and All

Café com os Ursos Polares

Allison Harms

Fui para a faculdade na mesma época em que meu filho começou o jardim-de-infância. Eu tinha mais tarefas de casa do que ele, mas compartilhávamos as excursões – eu acompanhei a classe dele ao corpo de bombeiros e à fazenda e ele se juntou à minha para procurar alguns fósseis e escalar geleiras. Certa vez, para uma de minhas aulas de biologia, pediram-me que visitasse o zoológico sozinha durante o período do outono. Protelei por várias semanas, esperando pelos últimos dias quentes da temporada, envolvida em nossos horários de volta à escola. Percebi finalmente que o final do semestre estava chegando e eu não tinha completado minha tarefa. Separei então um dia para a excursão ao zôo. É claro que meu filho me acompanhou.

Não era um dia típico daquela época do ano. O fim do outono e o início precoce do inverno o mantiveram deserto, exceto por meu filho e eu. Até os animais pareciam escassos. As nuvens se fecharam no céu e derramaram sobre nós gotas de chuva como agulhas de gelo. Sopros de umidade giravam em torno de nossas pernas, arrebanhando pedaços de folhas, sacos de papel, envoltórios de balas e cascas de amendoim num redemoinho de lixo que se amontoava no canto da casa dos répteis. Só algumas lâmpadas fluorescentes etéreas brilhavam lá dentro. Fomos caminhando. As fontes estavam secas, os canteiros desolados, as alamedas vazias. Patos se abrigavam do vento, reunidos junto ao lago, com as cabeças escondidas sob as asas. Ondas pequeninas batiam na praia. Enquanto andávamos, o vento enchia as abas de nossos casacos e depois as colava em nossos corpos.

O som de nossos passos alertou as gazelas que pastavam. Um grupo de cabeças pontudas, orelhas e chifres, suspensas em pose de dança, na ponta dos pés, enquanto passávamos. Ouvimos à distância o barrido dos elefantes. Os olhos amarelados do leão nos seguiram; sua cauda com um tufo de pêlos na ponta chicoteou de leve o chão. A superfície do tanque do hipopótamo reluziu, a matrona levantou o focinho, e seus olhos líquidos piscaram. A girafa empertigou a cabeça e nos fitou com ar grave.

Paramos para ver os ursos polares. Eles marchavam com passadas solenes, mas suas pernas eram comicamente curvadas, com os dedos para dentro, como os dos pombos. Tinham patas como as de cãezinhos crescidos, com garras curvas e negras. Cheiravam o ar de focinho empinado, balançando a cabeça redonda e pequena demais, de um lado para outro, soltando pelas narinas espirais de vapor contra o céu de cimento. O odor da neve era tão reconfortante para eles quanto um banho de sol para um gato doméstico.

O guardador dos animais surgiu usando botas de borracha e balançando dois baldes vermelhos. Ao avistá-lo, os ursos começaram a mergulhar no tanque, num alvoroço ruidoso, produzindo um som como o da queda de rochas numa avalanche. Eles saíram de novo, com a água escorrendo pelo corpo, como neve derretida das montanhas.

O guardador chegou até onde estávamos, meu filho e eu.

– Bom dia, – dissemos. Perguntei-lhe o que havia nos baldes.

– Peixe e melancia.

– É isso que os ursos tomam no desjejum? – indagou meu filho.

– É, – replicou o homem. Depois, abaixando-se até a altura do menino, ele disse, – Quer ajudar-me a alimentar os ursos?

– Claro! Posso mamãe?

E foi o que fizemos, atiramos nacos escuros de peixe e pedaços de melancia durante o primeiro bafejo de neve do inverno.

Em breve chegou a hora de partir. Meu filho estava cansado e eu o carreguei nos braços, com o capuz puxado sobre as orelhas, o rosto enfiado em meu ombro. Sorri para mim mesma ao pensar em quão freqüentemente as "necessidades" em minha vida se transformavam em "alegrias". Eu tinha de ir ao zoológico; tinha de passar o dia com meu filho e alimentar os ursos no desjejum. Fazer o que é certo tem as suas recompensas. Eu podia lembrar-me das vezes em que cumprira uma obrigação ou uma promessa mesmo que me custasse fazê-lo, e algo novo se abrira para mim: um relacionamento, uma habilidade, um momento inesquecível. Mesmo naquele dia ventoso de novembro, eu sabia que a lembrança da nossa experiência, simples e inesperada – café com os ursos polares – nos aqueceria interiormente a cada vez que nos recordássemos dela.

Tempo só Para a Mamãe

Crystal Kirgiss
do Detroit Lakes Tribun

Tudo que eu queria esta manhã era uma meia hora sozinha, trinta minutos de paz e silêncio para preservar minha sanidade. Nada de mamãe-faça-isto, mamãe-preciso-daquilo, mamãe-ele-me-bateu, mamãe-derrubei-suco-no-sofá.

Apenas eu, um banho quente de espuma e nada mais.

Eu não devia sonhar tão alto.

Depois de enviar os dois mais velhos para a escola, pus o menor sentado na frente da TV e disse, – Querido, ouça com atenção. Sua mamãe vai explodir. Ela está perdendo a cabeça. Está à beira de um ataque de nervos. Tudo isto por ter filhos. Está me entendendo?

Ele acenou vagamente enquanto cantava, – O Barney é um dinossauro em nossa imaginação...

– Está bem. Se você quiser ser agora um garoto bonzinho, vai ficar aqui sentado assistindo o Barney enquanto a mamãe toma um banho gostoso, quente, pacífico, relaxante. Não quero que me perturbe. Quero que me deixe sozinha durante trinta minutos. Não quero ver ou ouvir você. Certo?

Aceno.

– Bom dia, meninos e meninas... – Ouvi o apresentador dizer na televisão.

Fui para o banheiro com os dedos cruzados.

Fiquei olhando a água encher a banheira. Vi o espelho e a janela ficarem cobertos de vapor. Observei a água tornar-se azul com os sais de banho. Entrei.

Ouvi uma batida na porta.

– Mamãe. Mamãe? Você está aí, mãe?

Aprendi há muito tempo que ignorar meus filhos não faz com que vão embora.

– Sim, estou aqui. O que você quer?

Houve uma longa pausa, enquanto ele tentava decidir o que queria.

– Olhe, posso comer alguma coisa?

– Você acabou de tomar café. Não pode esperar um pouco?

– Não. Estou morrendo. Preciso comer agora!

– Está bem. Coma uma caixa de passas.

Ouvi os passos dele indo para a cozinha, ouvi enquanto puxava cadeiras e banquinhos, tentando alcançar a prateleira das passas, senti o chão vibrar quando pulou do balcão, e o ouvi correr de volta para a sala de TV.

– Oi, Susie! Você sabe de que cor é a grama...?

Toc, toc, toc.

– Mamãe? Mamãe? Você está aí, Mamãe?

Suspiro. – Sim, ainda estou aqui. O que você quer agora?

Pausa. – Olhe,...eu também preciso tomar banho.

– Queridinho, você não pode esperar até que eu termine?

A porta se abriu levemente.

– Não. Preciso tomar banho agora. Estou sujo.

– Você está sempre sujo. Desde quando se incomoda com isso?

A porta abriu inteira.

– Eu preciso mesmo tomar banho, mãe.

– Não, não precisa. Vá embora.

Ele ficou de pé no meio do banheiro e começou a tirar o pijama.

– Vou entrar com você e tomar também banho.

– Não! Você não vai entrar comigo e tomar banho! Eu quero tomar banho sozinha! Quero que vá embora e me deixe em paz! – Comecei a parecer o garotinho de três anos com quem argumentava.

Ele subiu na beirada da banheira, balançando-se cuidadosamente, e disse: – Vou entrar com você, está bem, Mamãe?

Comecei a berrar, – Não! Não está bem! Quero tomar banho sozinha! Não quero dividir! Não quero ninguém comigo!

Ele pensou um pouco e disse, – Tudo bem. Vou só sentar aqui e você pode ler um livro para mim. Não vou entrar, mãe, até que você acabe. – Deu-me um sorriso charmoso, de derreter corações.

Passei então minha manhã-sozinha lendo, Um Peixinho, Dois Peixinhos, para um garotinho nu sentado na borda da banheira, com o queixo apoiado nos joelhos, os braços em volta das pernas curvadas, um sorriso leve nos lábios.

Por que lutar? Não demora muito até que eu tenha todo o tempo-a-sós que quiser. E irei então provavelmente sentir falta de não ter mais tempo-juntos.

Tomar a decisão de ter um filho – é importante.
É decidir para sempre ter o coração
andando do lado de fora do seu corpo.

Elizabeth Stone

Esperança Para o Futuro

"Porque sou eu que conheço os planos que tenho para vocês,

diz o Senhor;

planos de fazê-los prosperar e não de lhes causar dano,

planos de dar-lhes esperança e um futuro."

Jeremias 29:11, NVI

Cartas de Amor para o Meu Filho não Nascido

Judith Hayes

Era um dia fragrante de verão em fins de julho. Eu andava me sentindo um tanto estranha e nauseada. Decidi então consultar meu médico.

– Sra. Hayes, tenho o prazer de avisá-la de que está grávida de dez semanas, – anunciou o médico. Eu não podia acreditar, era a realização de um sonho.

Meu marido e eu éramos jovens e estávamos casados há apenas um ano. Nos esforçávamos para construir uma vida feliz juntos. A notícia de que estávamos esperando um filho era maravilhosa e ao mesmo tempo assustadora.

Em meu entusiasmo juvenil decidi escrever "cartas de amor" ao nosso bebê, a fim de expressar meus sentimentos de expectativa e alegria. Mal podia imaginar como essas cartas de amor seriam valiosas nos anos que viriam.

Agosto 1971: Meu bebê querido, você pode sentir o amor que tenho por você enquanto é ainda tão pequeno e vive no mundo silencioso dentro de meu corpo? Seu pai e eu queremos que o mundo seja perfeito para você, sem ódios, guerras, poluição. É difícil esperar para tê-lo em meus braços dentro de apenas seis meses! Amo você. O papai também ama você, mas ele ainda não pode senti-lo como eu, porque você está dentro da minha barriga.

Setembro 1971: Estou grávida de quatro meses e me sentindo melhor. Posso perceber que você está crescendo e espero que esteja bem e confortável. Tenho tomado vitaminas e comido alimentos saudáveis para você. Minha náusea matinal felizmente acabou. Penso em você todo o tempo.

Outubro 1971: Oh, meus períodos de melancolia. Choro tanto sem razão. Algumas vezes me sinto muito só e então me lembro de que você está crescendo dentro de mim. Sinto você mexendo, virando e empurrando. Os seus movimentos são sempre diferentes, eles me trazem tanta alegria!

Novembro 1971: Sinto-me muito melhor agora que meu cansaço e enjôos passaram. O calor intenso do verão terminou. O tempo está lindo, fresco e revigorante. Sinto cada vez mais os seus movimentos. Socos e chutes a toda hora. Que bom saber que você está vivo e sadio. Na semana passada, o papai e eu escutamos as batidas fortes do seu coração no consultório médico.

Fevereiro 2, 1972 às 23.06hr: Você nasceu! Nós lhe demos o nome de Sasha. Foi um período longo e difícil de 22 horas de trabalho de parto e seu pai me ajudou a relaxar e manter-me calma. Estamos muito felizes em ver você, carregar você e dar-lhe as boas vindas. Bem-vinda, nossa primogênita. Nós a amamos muito!

Sasha logo tinha um ano e começou a andar cautelosamente por toda a casa. Em seguida começou a cavalgar pôneis e a balançar ao sol no parque. Nossa pequena beldade de olhos azuis entrou no jardim-de-infância e cresceu até tornar-se uma menininha inteligente e voluntariosa. Os anos se passaram tão rápido... Meu marido e eu comentamos brincando que pusemos nossa filha de cinco anos na cama uma noite e ela acordou na manhã seguinte já adolescente.

Esses poucos anos de adolescência e rebelião não foram fáceis. Houve ocasiões em que minha garotinha bonita mas rebelde plantava os pés no chão e gritava: – Você nunca me amou! Você não se importa comigo, nem quer que eu seja feliz!

Suas palavras ríspidas cortavam meu coração. Onde eu teria errado?

Depois de uma das explosões zangadas de minha filha, lembrei-me subitamente da caixinha de cartas de amor guardada no armário de meu quarto. Eu as encontrei, colocando-as silenciosamente sobre a cama dela, esperando que as lesse. Alguns dias depois Sasha procurou-me, com lágrimas nos olhos.

– Mamãe, eu não sabia o quanto você me amava – mesmo antes de meu nascimento, – disse ela. – Como pôde me amar sem conhecer-me? Você me amou incondicionalmente! – Aquele momento precioso tornou-se um laço de união que ainda hoje existe entre nós. Aquelas cartas de amor empoeiradas e antigas fizeram derreter a ira e a rebelião que ela sentira.

Para meu Filho Adulto

Autor Desconhecido

Minhas mãos se ocuparam o dia inteiro,
não tive muito tempo para brincar
Com os joguinhos que você queria –
não tive muito tempo para você.
Lavei suas roupas, costurei e cozinhei;
Mas quando me trazia seus livros de figuras
e me pedia para compartilhar sua diversão,
eu dizia: – Daqui a pouco, filho.
Eu o colocava em segurança na cama à noite,
Ouvia suas orações, apagava a luz,
Depois andava de mansinho até a porta...
desejaria ter ficado um minuto mais.
A vida é tão curta, os anos correm velozes...
um menininho cresce com tamanha rapidez.
Ele não está mais ao seu lado,
para confiar seus segredos preciosos.
Os livros de figura jazem inúteis;
Não há mais jogos a serem jogados.
Nem beijo de boa-noite, nem orações a serem ouvidas –
Tudo ficou para trás.

Minhas mãos, antes ocupadas, estão agora inertes.
Os dias são longos e difíceis de preencher.
Eu gostaria tanto de voltar e fazer
As pequenas coisas que você me pediu.

A visão mais gloriosa
que podemos ver debaixo do céu
é a da maternidade digna de louvor.

George W. Truett

Crescendo

O Que uma Mãe Diz

Robin Jones Gunn

Extraido de "Mothering By Heart"

Oh, deixe-me pegar você!
Como vai meu anjinho?
Quieta, garotinha,
Não está com sono ainda?
Não faz mal. Não chore.
Não, não. Não mexa.
Venha com a Mamãe.
Tire isso da boca, amor!
Isso não é para você.
Você não precisa mais disso.
É uma mocinha agora.
Peça à mamãe quando quiser ir ao banheiro, está bem?
Não mexa nas coisas de seu irmão.
Vá para o quarto.
Não, não pode.
Trouxe água para você.
Volte para a cama.
Recolha os seus brinquedos.
Não brinque dentro do armário.
Pode fazer um desenho para a Vovó?
Fique quieta.
Vai lembrar de trazê-lo para casa amanhã?
Tenho certeza de que ela ainda quer ser sua amiga.

Você treinou?
Tente procurar debaixo da cama.
Você ainda não tem idade para isso.
Vai ter de pedir ao seu pai.
Onde estava quando o viu pela última vez?
Não implique com seu irmão.
Vá arrumar seu quarto. Venha pôr a mesa.
Não roa as unhas.
Você fez a tarefa de casa?
Saia do telefone. Coma as verduras.
Você é responsável por cuidar de suas coisas.
Você me avisou que era neste sábado?
Está bem – se quiser use o seu dinheiro.
Diga a ela que telefona de volta.
Experimente um tamanho maior.
Há um garoto no telefone querendo falar com você.
Você não pode usar isso na escola.
Esteja de volta na hora marcada.
Eu não dei permissão.
Volte direto para casa.
Não, eu preciso do carro esta tarde.
Você vem para casa neste fim de semana? No próximo?
O que você sabe sobre ele?
Já pensou bem no assunto?
Eu pedi porque pensei que as apreciasse.
Mas, o rosa costumava ser a sua cor favorita.
Faça o que quiser. Você decide.
Não sente em cima do véu.
Telefone quando chegar lá. Não escorregue no arroz.
Adeus, querida.

Não tenho alegria maior do que ouvir que meus filhos andam na verdade.

3 João 1:4

Não Mais Beijos Lambuzados

Erma Bombeck
Extraído de "FOREVER ERMA"

Uma jovem mãe escreve: "Sei que você já tratou antes da síndrome do ninho vazio, esse período solitário depois que os filhos crescem e se vão. No momento, estou envolvida até os olhos em roupas para lavar e botas enlameadas. Os dentes do bebê estão nascendo; os meninos estão brigando. Meu marido acabou de telefonar, dizendo para comermos sem ele e eu saí da minha dieta. Pode falar disso outra vez, por favor?

Posso sim. Um desses dias você vai gritar, – Por que vocês não crescem e agem como gente? – E eles farão isso. Ou, – Meninos, saiam e achem alguma coisa para fazer lá fora...e não batam a porta! – E eles não vão bater.

Você arruma o quarto dos meninos; joga fora adesivos de pára-choques, alisa as cobertas, coloca os brinquedos nas prateleiras. Os cabides no armário. Animais nas gaiolas. E dirá em voz alta. – Quero que tudo fique deste jeito. – E vai ficar.

Você prepara um jantar perfeito, com uma salada que não tenha sido beliscada antes e um bolo sem marcas de dedinhos na cobertura, e dirá, – Essa é uma refeição para as visitas. – E vai comê-la sozinha.

Você anuncia, – Quero completa privacidade no telefone.

Ninguém dançando à minha volta. Nada de equipes de demolição. Silêncio! Entenderam? – E vai tê-lo.

Não haverá mais toalhas de plástico manchadas de molho de macarrão. Não precisará mais de capas para proteger o sofá de traseiros úmidos. Não terá mais portões à prova de crianças para transpor no alto da escada do porão. Não achará mais pregadores de roupas debaixo do sofá. Não verá mais "chiqueirinhos" no chão da sala.

Não passará mais noites ansiosas ao lado de um inalador. Não encontrará mais areia nos lençóis nem revistas de Popeye no banheiro. Não haverá mais remendos pregados a ferro, elásticos para rabos de cavalo, botas apertadas ou cordões de sapato molhados cheios de nós.

Imagine. Um batom que ainda tem ponta. Nada de babá para a véspera de Ano Novo. Lavar roupa só uma vez por semana. Comer carne que não seja moída. Escovar os dentes sem uma criança no colo.

Nada de reuniões de Pais e Mestres. Nem rodízio de carros ou rádios aos berros. Ninguém lavando a cabeça às 11 da noite. Ter o seu próprio rolo de fita durex.

Pense nisso. Não receber presentes de Natal feitos de palitos de dentes e cola de papel. Não mais beijos lambuzados. Nada mais de fada que vem buscar o dente que caiu[1] . Não ouvirá mais risadinhas no escuro. Não terá mais joelhos esfolados para curar, nem responsabilidades.

Só uma voz gritando, – Por que você não cresce? – e o silêncio respondendo, "Cresci".

[1]Tradição norte-americana em que a criança guarda o dente caído debaixo do travesseiro à espera de uma fada que vai trocá-lo por dinheiro. (N.R.)

Não tenho dúvidas
sobre como a minha experiência cristã começou.
O primeiro altar diante do qual me ajoelhei
foi o joelho de minha mãe.

L. D. Weatherhead

Vendo uma à Outra Sob uma Luz Diferente

Susan Manegold
Extraído de "*Women's World Magazine*"

Enquanto minhas filhas eram pequenas, gostávamos de ficar juntas, conversando e assistindo TV. Quando Lauren e Carly chegaram à adolescência, porém, elas preferiam ficar em seus quartos, falando ao telefone ou ouvindo música, em vez de estar comigo – ou mesmo uma com a outra.

Eu sabia que isso fazia parte do crescimento delas; mas, embora quisesse que minhas filhas fossem independentes, desejava também que não se afastassem, e uma parte de mim sentia falta dos dias em que nos sentávamos no sofá com uma tigela de pipoca no colo.

Certa noite, enquanto o pai ainda estava no trabalho, as luzes se apagaram. – Legal! – ouvi a voz de Carly, 13, falar no quarto dela.

– Odeio isso! – Lauren, 18, gritou.

Munida de velas e lanternas fui para o quarto de minhas filhas. O de Lauren já estava iluminado pelo brilho aconchegante de uma vela. Carly e eu então entramos e em breve estávamos as três reunidas na cama de Lauren.

Carly parecia eufórica, mas Lauren fez pouco caso quando ela sugeriu, – Vamos contar histórias. – Enquanto Carly falava sobre a escola e as amigas, porém, o amuo de Lauren desapareceu. Ela se aconchegou mais a Carly e em breve as duas começaram a rir como quando eram menores.

Pude ver pelo brilho nos olhos de Carly que ela sabia que a escuridão nos trouxera um presente, mas me perguntei se Lauren sentia o mesmo. De repente, o telefone de Lauren tocou. – É verdade, também não temos energia aqui em casa, – disse ela à amiga. – Telefono para você mais tarde, estou agora conversando com minha mãe e minha irmã.

Ela também sabia! pensei. Depois de desligar, ela sugeriu. – Vamos cantar alguma coisa? – Lágrimas encheram meus olhos.

Passado algum tempo a luz voltou. – Oh, não! – as meninas lamentaram. Mas, desde então, todas nos sentimos mais próximas. Nos abraçamos mais e minhas filhas não implicam tanto uma com a outra. Em algumas noites apenas nos sentamos e conversamos. O apagão não só nos deixou no escuro; também nos deu a oportunidade de ver umas às outras sob uma luz diferente.

Nenhuma nação teve um amigo melhor
do que a mãe que ensinou seus filhos a orar.

A Vida e Seus Tesouros

Meu desejo é colocar imediatamente a experiência de cinqüenta anos em suas jovens vidas, dar-lhes instantaneamente a chave dessa sala do tesouro onde cada jóia me custou lágrimas, esforços e orações. No entanto, vocês devem trabalhar para obter esses tesouros interiores por si mesmos.

Harriet Beecher Stowe

Ela Tem Dezessete Anos

Glória Gaither

Extraído de "Let's Make a Memory"

O primeiro dia de escola só começou às 13 horas, dando então tempo para o desjejum no McDonald's e para comprar os materiais da lista. Você nos lembrou de ir ao McDonald's para o café. – Nós sempre vamos lá no primeiro dia de aula, – disse. Algo difícil de explicar agitou-se em meu íntimo quando ouvi isso. Talvez orgulho – orgulho por ainda apreciar essa tradição engraçada, ou talvez fosse prazer – prazer por você ainda preferir ficar com a família quando já tem a sua "turma". Havia também uma certa tristeza e eu não podia esquecer que aquele seria o seu último primeiro dia de escola.

Você desceu as escadas naquela manhã toda arrumada. O brilho sadio de seu bronzeado de verão e as sardas ainda aparecendo debaixo da maquilagem, o cabelo bem penteado descorado pelo sol. – Oi, mãe, – cumprimentou, seu sorriso mostrando dentes brancos e bem alinhados. Nada mais de aparelhos ortodônticos, pensei, e não mais óculos quebrados para colar antes da aula. Lentes de contato e aparelhos dentários tinham valido a pena.

– Preciso tirar fotografias da formatura amanhã depois da escola, mamãe. Posso usar o carro?

– Acho que sim, – respondi. Depois lembrei você da sua promessa de levar sua irmã para cortar o cabelo às três horas naquela tarde. Sua carta de motorista chegara bem na hora.

A essa altura, Amy e Benjy estavam prontos e entramos no carro em direção ao McDonald's. Enquanto comíamos, falamos de outros primeiros dias – o primeiro dia do jardim-de-infância, o primeiro dia da escola fundamental e aquele dia assustador na enorme escola nova. Vocês interrompiam uns aos outros com histórias de momentos embaraçosos, prêmios, amizades, e sustos.

Depois de comermos, corremos para comprar cadernos e canetas, antes de deixar todos vocês na escola – primeiro Amy e Benjy e depois você, – Até logo, mãe, – você disse enquanto descia do carro. A seguir parou um momento e olhou por sobre o ombro. – Mamãe... obrigada.

Era o remanescente de um beijo de adeus. A hesitação de uma menininha de cachinhos começando o jardim-de-infância. A expectativa de uma jovem confiante em seu destino – tudo isso mesclado naquele gesto.

– Amo você, – foi tudo que respondi, mas esperava que de alguma forma você pudesse ouvir com o seu coração o resto das palavras que passavam pela minha mente – palavras que diziam como você era especial para nós; palavras que lhe fariam saber como seu pai e eu ficamos ricos com a sua entrada em nossas vidas; palavras que dissessem quanto confiamos em você, oramos por você, agradecemos a Deus por você. Quando as portas da escola se fecharam às suas costas e você desapareceu no corredor, eu queria gritar, – Espere! Temos ainda tanto a fazer. Nunca fomos ao Havaí. Nunca fizemos um cruzeiro. O livro de poesias que escrevemos juntas ainda não foi publicado. E o dia que iríamos passar na cabana, só ficando quietas e lendo? Ou a reunião de escritores à qual planejamos comparecer em Illinois? Você não pode ir ainda...Espere!

Eu sabia, no entanto, que você não podia esperar e que nunca poderíamos segurá-la, impedindo o seu progresso. Você tinha promessas a cumprir. Portanto, embora soubesse que aquele era um último começo, sabia também que era o primeiro dia em uma vida inteira de novos começos...e me rejubilei!

Homem algum que tenha tido uma mãe piedosa é pobre.

Abraham Lincoln

Visita dos Filhos Adultos

Erma Bombeck

Extraído de "Forever Erma"

Em tempos passados, eu era uma mãe que fazia os filhos arrumarem seus quartos, prepararem seus lanches e colocarem a roupa suja na lavanderia. Agora, quando eles vêm para casa eu deixo as regras de lado. Sou como uma zeladora esperando uma boa gorjeta. Eu os sigo pela casa perguntando, – Está com fome? Posso fazer alguma coisa por você? Tem roupa para lavar?

Como com eles quando querem comer, cozinho seus pratos favoritos pouco antes de me dizerem que vão sair com os amigos e fico olhando sem ação enquanto comem meio quilo de presunto cozido às três da tarde.

Minha vida muda nas visitas deles. Não tenho carro. Minha lavadora fica ajustada no ponto de carga extra-grande e só tem duas meias e uma camiseta dentro dela. O telefone toca constantemente e nunca é para mim.

No final das visitas, separamos um dia, preparamos um lanche e vamos para o aeroporto. Só depois que volto para casa é que percebo como minha vida se tornou ordeira. Gosto da quietude. O controle remoto da TV é resgatado da cesta de roupas e volta ao seu lugar na mesa do café. As caixas vazias de leite e suco são retiradas da geladeira. As toalhas molhadas vão para a máquina de lavar. O banheiro volta aos seus padrões sadios.

É o meu mundo outra vez. Por que então estou chorando?

O coração de uma mãe é um abismo profundo
e lá embaixo você vai sempre encontrar perdão.

Honoré de Balzac

TRABALHO SILENCIOSO

Nada pode comparar-se em beleza, prodígio, excelência e até mesmo em divindade, ao trabalho silencioso, em moradias obscuras, de mulheres fiéis conduzindo seus filhos à honra, à virtude, e à piedade.

Henry Ward Beecher

O coração da mãe é a sala de aula do filho.

Henry Ward Beecher

TEMPORADA DO NINHO VAZIO

Joan Mills

Você se lembra de quando seus filhos armavam tendas de cobertor para dormir dentro delas? Depois pulavam durante a noite para suas camas onde ficariam a salvo dos ursos? E de como se mostravam orgulhosos e ansiosos para começar o jardim-de-infância? Mas, só até o momento em que chegavam lá? E a época em que arrumavam mochilas, muito ofendidos?

– Você não vai nos ver de novo! – gritavam, voltando logo depois por terem esquecido de ir ao banheiro?

O mesmo acontece quando têm vinte ou vinte e dois, começando a abrir caminho no mundo dos adultos. Bravatas, angústia, falsos começos e perigos imprevistos. Estão meio dentro, meio fora. – Adeus! Adeus! Não se preocupe, mamãe! – Eles voltam na primeira semana para pedir o rolo de pintura emprestado, um fusível e uma vassoura. Ao examinar o sótão, agarram a colcha que o cachorro comeu e as terríveis almofadas do sofá velho que têm cheiro de ratos mortos. – É isso mesmo que eu preciso! – dizem, enchendo o carro.

– Adeus! Adeus! – deixando implícito que será para sempre. Mas, aparecem sem aviso na hora do jantar, suspirando fundo ao verem os pratos familiares e substanciosos. Vão de novo embora, carregando quatros sacos de mantimentos, a frigideira elétrica e um livro de receitas.

Telefonam para casa a cobrar, mas não tantas vezes quantas os pais desejariam. E as novidades deles fazem os cabelos grisalhos ficarem de pé: – Ele esqueceu de puxar o breque e disse que meu carro rolou três quarteirões, de ré, ladeira abaixo antes que fosse destruído! – Ou, – Um caso simples de último contratado, primeiro demitido, nada demais. Vendi o aparelho de som, e... – Ou ainda, – Mamãe! Todos na cidade têm isso. Esse negócio contra baratas que você coloca debaixo da pia. É...

Eu agarrava o telefone com as duas mãos naqueles dias, desejando poder subornar meus filhos para voltarem e dar-lhes tudo que quisessem – aulas de bateria, uma conta permanente na lanchonete, qualquer coisa. Eu lutava com um impulso inconveniente de alertá-los mais uma vez sobre não queimar a boca, cuidado ao atravessar as ruas e o uso de meias secas em dias úmidos.

– Estou impressionada em ver como você resolve bem as coisas! – dizia em vez disso.

Os filhos vão embora e os pais se aproximam, lembrando o peso doce dos bebês em seus braços, calças remendadas, catapora, a noite do acidente, os rituais do Natal e as festas do colégio. Com orgulho saudoso e uma veia um tanto cômica, eles observam sua prole de uma distância mantida com esforço. É a temporada do ninho vazio.

Devagar, bem devagar, surgem mudanças. Algo maravilhoso parece pairar sobre eles, levemente ouvido, vislumbrado em momentos iluminados. Ao visitar os filhos, os pais ficam quase certos disso.

Um filho estende uma toalha na mesa e eficientemente faz um friso perfeito em sua calça social. *(Tábua de passar, a mãe pensa, fazendo um acréscimo mental na lista de compras.)* – Vou levar você a um restaurante francês para jantar, – o jovem anuncia. – Já fiz reservas.

– Estou vestida adequadamente? – pergunta a mãe, com certa timidez. Ele a leva pelas ruas com uma aura de segurança. O braço rodeando levemente os ombros dela.

Ou uma filha oferece aos hóspedes de honra as duas únicas cadeiras que possui e se acomoda numa pilha de travesseiros, como as de um harém. Ela cultivou mudas de plantas, prendeu uma porção de quadros na parede, passou três fins de semana dando um acabamento na pequena cômoda que brilha agora num quadrado de sol.

Os pais a observam com amor atônito. O quarto ganhou beleza com o seu toque. – Tudo encantador, – dizem eles. – É um verdadeiro lar.

Agora? Será *agora?* Sim. Algo maravilhoso realmente acontece. As gerações sorriem uma para outra, como se trocando parabéns. As crianças não são mais crianças. Os pais ficam reverentes ao descobrirem adultos.

É esplêndido, de maneiras que a minha imaginação nem começara a sonhar. Como eu podia ter adivinhado – quem diria? – que dos meus três, exatamente o tímido, iria absorver do ar uma série de competências e aparecer, conversando com total descontração, em shows de TV? Que aquele que transformou sua adolescência na Terceira Guerra Mundial, encontraria seu papel no serviço árduo e sensível de assistência a outros seres humanos? Ou que o filho que não gostava de livros e atormentava os professores, se transformaria num erudito, tolerando viver como um estudante pobre e escrevendo noite adentro?

Eu não havia suspeitado que meus jovens adultos pudessem mostrar-se tão engraçados num minuto e tão introspectivos no seguinte; tão francos e espontâneos. Ou que o fato de crescerem os inspiraria a fazer seguro de vida, comprar ternos elegantes e emprestar dinheiro aos irmãos de quem antes roubavam pirulitos. Ou que ao entrar em suas casas eu iria ouvir Mozart no toca-fitas e encontrar livros interessantes, que poderia pedir emprestados.

Há muito tempo, esperei nove meses de cada vez para ver quem eles seriam, bebês recém-formados e admiráveis. – Oh, *veja!* – disse eu e me apaixonei. Meus filhos são agora admiravelmente novos para mim de maneira diferente e estou outra vez apaixonada.

Minha filha e eu compartilhamos livremente o mundo complexo de nosso íntimo e todos os outros mundos que conhecemos. Comovida, noto como os seus ritmos e gestos me fazem lembrar de sua avó ou de mim. Estamos ligadas por mistérios inconscientes e benignamente observadas por fantasmas. Viro a cabeça para olhá-la. Ela encontra o meu olhar e sorri.

Um filho atravessa todo o país de avião para gozar as férias depois de um ano inteiro . Ele me segue pela cozinha, abrindo as panelas para experimentar a comida e me passando os pratos. Nos bronzeamos ao sol. Lemos em sincronia silenciosa. Ele corre. Eu cuido das flores. Andamos pela praia, observando as ondas preguiçosas. Conversamos sem parar, e mais tarde jogamos cartas até depois da meia-noite. Estou imensamente feliz.

– As férias são suas! – digo a ele. – O que quer fazer de especial?

– Isto, – responde. – Exatamente isto.

Quando meus filhos saíram de casa pela primeira vez, senti que estavam voando para o espaço exterior, seguindo uma curva de luz e tempo para lugares tão desconhecidos que meu coração iria com certeza desfalecer se tentasse segui-los. Pensei que seria o fim dos meus dias de mãe. E não aquilo que descobri que é na verdade – a melhor parte, o elo final e mais firme; o alvo e a recompensa.

Publicado com permissão de
The Reader's Digest Association, Inc.

Amor

Os Bóbis

Linda Goodman

Quando eu tinha sete anos, ouvi minha mãe contar a uma de suas amigas que faria trinta anos no dia seguinte. Duas coisas me ocorreram ao ouvir isso. Eu nunca tinha compreendido antes que minha mãe fazia aniversário; e, segunda, não me lembrava dela ter algum dia recebido um presente de aniversário.

Achei que podia fazer algo a respeito. Fui para o quarto, abri meu cofre de porquinho e tirei todo dinheiro que havia nele: cinco moedas. Isso representava cinco semanas de minha mesada. Fui então até à lojinha perto de casa e falei ao dono, sr. Sawyer, que queria comprar um presente de aniversário para minha mãe.

Ele me mostrou tudo que tinha no valor de um quarto de dólar. Havia várias figurinhas de cerâmica. Minha mãe teria gostado, mas já possuía uma porção delas e era eu que tinha de espaná-las uma vez por semana. Definitivamente não serviam. Havia também caixinhas de bombons. Minha mãe era diabética, portanto eu sabia que não seriam apropriadas.

A última coisa que o sr. Sawyer mostrou foi um pacote de bóbis para cabelo. Os cabelos de minha mãe eram lindos, pretos e compridos, e duas vezes por semana ela os lavava e prendia. Quando tirava os bóbis na manhã seguinte, parecia uma estrela de cinema com aqueles cachos longos e escuros caindo como uma cascata em volta de seus ombros. Decidi então que aqueles bóbis seriam o presente perfeito para minha mãe. Dei ao sr. Sawyer as cinco moedas e ele me entregou os bóbis.

Levei-os para casa e os embrulhei em uma folha colorida da seção cômica do jornal (não sobrara dinheiro para o papel de embrulho). Na manhã seguinte, fui até minha mãe e lhe dei o pacote, dizendo, – Feliz aniversário, mamãe!

Minha mãe ficou ali espantada e silenciosa por um momento. Depois, com lágrimas nos olhos, ela abriu o invólucro de jornal. Quando encontrou os bóbis, estava soluçando.

– Desculpe, mamãe, – falei. – Não queria fazer você chorar. Só queria que tivesse um aniversário feliz.

– Oh, querida, estou feliz, – respondeu. Olhei para seus olhos e pude ver que sorria entre lágrimas. – Você sabia que este foi o primeiro presente de aniversário que recebi em toda a minha vida? – exclamou.

Ela beijou-me então no rosto e repetiu, – Obrigada, querida. – Voltou-se depois para minha irmã e disse, – Veja só! Linda me deu um presente de aniversário! – Em seguida olhou para meu pai, dizendo: – *Veja! Linda me deu um presente de aniversário!*

Foi então para o banheiro para lavar o cabelo e prendê-lo com os bóbis novos.

Quando ela saiu do quarto, meu pai me olhou e disse, – Linda, quando eu estava crescendo, na fronteira (meu pai sempre chamava a casa em que vivera na infância, nas montanhas da Virgínia, *de fronteira*), não dávamos muita importância à tradição de presentear adultos em seu aniversário. Isso era algo feito somente para as crianças. A família de sua mãe era tão pobre que também não podia acompanhar esse costume. Ao ver como você fez sua mãe feliz hoje, vi-me obrigado a repensar todo esse assunto de aniversários. O que estou tentando dizer é que você, Linda, estabeleceu um precedente.

Estabeleci mesmo um precedente. Depois daquele dia, minha mãe recebia chuvas de presentes todos os anos: de minha irmã, meu irmão, meu pai, e eu. É claro que quanto mais velhos ficávamos, tanto mais dinheiro recebíamos e ela ganhava presentes melhores. Quando cheguei aos 25 anos, já dera a ela um aparelho de som estéreo, uma televisão em cores e um forno de microondas (que ela trocou por um aspirador de pó).

Quando minha mãe fez cinqüenta anos, meus irmãos, minha irmã e eu juntamos nossos recursos e compramos algo espetacular para ela: um anel com uma pérola rodeada de pequenos diamantes. Quando meu irmão mais velho entregou-lhe o anel, na festa dada em sua honra, ela abriu a caixa de veludo e olhou para a jóia que continha. Depois sorriu e mostrou aos convidados o seu presente especial, exclamando, – Meus filhos não são ótimos? – Passou em seguida o anel pela sala e foi emocionante ouvir o suspiro coletivo que se fez ouvir, enquanto o anel passava de mão em mão.

Depois da saída dos convidados, fiquei para ajudar na limpeza. Estava lavando os pratos na cozinha quando ouvi uma conversa entre meus pais na sala contígua. – Muito bem, Pauline, – disse meu pai, – Esse anel em sua mão é lindo. Acho que foi o melhor presente de aniversário que você já ganhou, não é?

Meus olhos se encheram de lágrimas e ouvi sua resposta: – Ted, – disse suavemente, – O anel é realmente muito bonito. Mas, sabe qual o melhor presente que já recebi? Foi o pacote de bóbis.

Seu Caminho de Amor

Clare DeLong

Quando olhamos pela janela da cozinha, podemos ver um caminho que vai da varanda e atravessa o gramado até a propriedade vizinha. Essa propriedade pertence à minha mãe – o caminho também é dela.

Há algum tempo, sofri um acidente de carro quase fatal. Tive nove ossos quebrados e outros ferimentos e precisava de cuidados constantes. Minha recuperação futura envolvia uma possível temporada num centro de reabilitação.

Meu marido decidiu alguns dias antes de minha saída do hospital, que iria levar-me para casa. O médico aprovou e o equipamento necessário foi enviado e montado no quarto de hóspedes. Wally e mamãe haviam aceito a responsabilidade de cuidar de mim 24 horas por dia.

Foi aí que o caminho dela começou. Ele veio a ser usado todos os dias durante cerca de dois meses e meio. Mamãe percorria aquele caminho nas horas de sol, chuva, neve e granizo, de manhã, de tarde e às vezes no meio da noite.

Eu o chamo de seu caminho de amor. As coisas que ela fez por mim naquele período são tantas quantas as estrelas no céu. Ela cuidou de mim como só uma mãe poderia fazer. O amor, ternura e gentileza que me foram mostrados jamais serão esquecidos. Dezoito meses mais tarde o caminho permanece – um sinal visível do amor de uma mãe.

Amar e ser amada
é sentir o sol da ambos os lados.
Barbara Johnson

O Presente de Annie Lee

Glenda Smithers

Começara a contagem regressiva do Natal. Nessa época do ano, a sra. Stone só admitia um controle parcial de seus alunos. Era surpreendente como um feriado tão belo podia transformar seus estudantes disciplinados em traquinas vivazes e ruidosos.

– Sra. Stone, derramei cola nas minhas calças novas, – choramingou Chris.

– Sra. Stone, minha corrente de papel não consegue rodear a árvore, – queixou-se Faye.

– Danielle está espirrando tinta por toda parte, – esganiçou uma menina de perto da pia.

Onde estavam suas aulas organizadas e rotina normal? Para onde fora a paz de espírito? Parece que haviam entrado num longo recesso. Este recesso, temia a sra. Stone, duraria até meados de janeiro.

– Professora? – uma voz de criança chamou da mesa de atividades. Pisando em tiras de papel que decoravam o tapete, a sra. Stone foi até onde algumas crianças terminavam os calendários que iriam dar aos pais como presente de Natal.

– O que foi, Annie Lee? – perguntou a professora.

A menininha sacudiu para trás a cabeça de cabelos longos e negros e respondeu educadamente, – Olhe, se terminar meu calendário, posso levá-lo para casa esta noite? Minha mãe quer vê-lo. Ela talvez tenha de ir... –

– Não, Annie Lee, – replicou automaticamente a sra. Stone. – Você leva para casa na sexta-feira, como todo mundo.

Annie Lee começou a protestar, mas a professora saiu depressa da mesa, preocupada com escovar da saia os respingos de brilho prateado.

A sala encheu-se de repente do som pa-rum-pa-pum-pum da música "The Little Drummer Boy" *(O Pequeno Tocador de Tambor)*.

– Lavínia, por favor desligue o toca-discos! – A sra. Stone anunciou para o resto da classe, – Vamos, meninos e meninas, está na hora de limpar tudo.

– Ahhh... – Os gemidos de desapontamento esperados vieram e se foram.

Em sua mesa, a sra. Stone abriu a tampa de uma caixinha de madeira e o som da música "Noite Feliz" foi imediatamente reconhecida pelas crianças. Uma disposição tranqüila espalhou-se pela sala enquanto escutavam.

– Shay, quer começar nosso nosso tempo de "Narrações Orais" de hoje? – perguntou a mestra enquanto fechava a caixinha de música. O menino chegou até a frente da sala e disse, gabando-se um pouco, – Vou ganhar uma bicicleta vermelha no Natal.

A sra. Stone fechou os olhos, *Aqui vamos nós novamente, pensou, – Quero isto e quero aquilo.*

Annie Lee era a seguinte a compartilhar. Seu cabelo comprido refletia o sol que entrava pela janela enquanto ia para a frente.

– Minha mãe está doente e não pode fazer os biscoitos para a festa, – anunciou.

Os olhos da sra. Stone se abriram. *Não posso acreditar, A sra. Brown está usando a mesma desculpa, pensou. Ela não compareceu à reunião de pais e mestres ou à conferência entre professores e pais, pela mesma razão. Alguns pais tentam sempre fugir das suas responsabilidades.*

Annie Lee aproximou-se da mesa da professora e da caixinha de música. Os olhos dela brilhavam e um dedo traçou ternamente a Madona e o menino pintados na tampa. – Quando minha mãe ficar boa, ela vai comprar para mim uma caixinha de música igual à sua, sra. Stone.

A professora sorriu e respondeu, – Que bom, Annie Lee, mas não poderá ser exatamente igual à minha. Veja bem, esta é muito antiga. Era de minha tataravó. Algum dia, vou dá-la a um de meus filhos.

No dia seguinte, Annie Lee levou uma fita de veludo vermelha estreita até a mesa da professora.

– Minha mãe foi para o hospital ontem, mas me deu esta fita para embrulhar o presente que fiz para ela, – disse.

– A fita é muito bonita, – falou a sra. Stone. Depois acrescentou, – Que pena que a sua mãe esteja no hospital.

– Meu pai falou que posso levar o calendário ao hospital, se a sra... –

Annie Lee começou a pedir de novo, mas a sra. Stone interrompeu, – Eu já disse que vamos embrulhá-los amanhã e levá-los para casa na sexta-feira.

Annie Lee pareceu desapontada, mas seu rostinho alegrou-se ao lembrar do presente que tinha para a professora. – Minha mãe fez isto para a sra. – disse ela contente e colocou um marcador de livros de veludo vermelho na frente da professora. A seguir, ela voltou-se e foi embora. A professora notou que o cabelo da menina não estava lustroso como sempre naquela manhã; parecia sem brilho, embaraçado e sem pentear.

Chegou a sexta-feira. A árvore de Natal, um tanto enfeitada demais, foi posta no centro da sala. A sra. Stone pusera o vestido cor de cereja que usava todos os Natais e Dia dos Namorados. As crianças entraram barulhentas na sala, todas sentindo a proximidade do Natal. Mas, a cadeira de Annie Lee achava-se vazia.

Com um certo mal-estar, a sra Stone sentou-se. Ela não queria saber a razão para a ausência de Annie Lee: outro fardo acrescentado a 25 anos de frustrações acumuladas era mais do que podia suportar.

Como se em resposta à sua pergunta não pronunciada, um monitor entrou na sala e entregou-lhe uma nota dobrada. Tremendo, ela leu a nota escrita às pressas pelo diretor: "Acho que gostaria de saber que a mãe de Annie Lee Brown morreu bem cedo esta manhã".

De alguma forma a sra. Stone conseguiu atravessar o dia. Quando a festa terminou e as crianças tinham partido para gozar os feriados em casa, a sra. Stone ficou sozinha em sua sala de aula e chorou. Chorou por Annie Lee, pela mãe de Annie Lee, e por si mesma – e pelo calendário que deveria levar alegria mas não levara, e pelo marcador de veludo vermelho tão imerecido.

A sra. Stone deixou a escola muito tarde naquela noite. As estrelas brilhavam lá no alto do céu, iluminando o caminho para a casa de Annie Lee. Em suas mãos, a sra. Stone levava a preciosa caixinha de música como se fosse o próprio tesouro dos reis magos. Ela levantou os olhos para a estrela mais brilhante e orou para que a caixa de música ajudasse a fazer com que o Natal voltasse ao coração das duas.

O Sacrifício de Uma Mãe

Fiquei sabendo que minha mãe, ao suspeitar, pelo rosto do médico, que a sua vida e a do filho não podiam ser ambas salvas, suplicou-lhe que poupasse a criança...Durante os meus muitos anos de existência, poucas vezes tenho agradecido a Deus pelas suas misericórdias sem agradecer-lhe por minha mãe.

James M. Ludlow

Filhos Especiais, Meus e de Deus

Nancy Jo Sullivan
Extraído de The Catholic Digest

Em uma manhã quente de julho, acordei com o barulho de um ventilador quebrado, soprando ar úmido em meu rosto. Isso me fez pensar sobre todas as outras coisas que haviam "quebrado" em minha vida.

Cuidar de uma filha com síndrome de Down apresenta desafios únicos. Embora a cirurgia cardíaca de Sarah e muitas outras infecções graves tivessem passado, enfrentávamos agora contas de hospital catastróficas. Além de tudo isso, o emprego de meu marido seria eliminado dentro de semanas e a perda de nossa casa parecia inevitável.

Ao fechar os olhos para fazer uma oração matutina, senti uma mãozinha puxar meu braço. – Mamãe, – disse Sarah, – Eu me a-r-r-u-m-e-i para a escola bí-bli-ca de fé-fé-ri-as sozinha!

Junto à cama estava minha filha Sarah, de cinco anos, com os olhos brilhando através de lentes grossas, numa armação cor-de-rosa. Radiante e orgulhosa, ela virou as duas mãos para cima e exclamou, – Fiz tu-do!

Notei que seus shorts vermelho-axadrezados estavam de trás para diante, com o cordão de fechar enfiada de lado na cintura. Na frente de um top verde, novo, também de trás para diante, a etiqueta de preço continuava pendurada, Ela escolhera meias verde e vermelha, uma de cada cor, para usar com o conjunto. Os tênis estavam nos pés errados e pusera na cabeça um boné de beisebol com o visor e o emblema ao contrário.

– Ar-r-an-j-ei também a mochila, – gaguejou ela, enquanto eu abria o zíper da sacola para ver o que havia lá dentro. Olhei curiosa para os tesouros que ela guardara tão cuidadosamente: cinco blocos de Lego, uma caixa fechada de clipes para papel, um garfo, uma boneca de pano nua, três peças de quebra-cabeça e um lençol para berço tirado do armário de roupas de cama.

Levantei delicadamente seu queixo até que nossos olhos se encontraram e disse devagar, – Você está linda!

– O-bri-ga-da", – Sarah sorriu, enquanto começava a rodopiar como uma bailarina.

Nesse momento o relógio da sala bateu oito horas, o que significava que eu tinha 45 minutos para preparar-me, além de vestir duas crianças pequenas e um bebê.

Enquanto os minutos da manhã se dissolviam em segundos urgentes, compreendi que não tinha tempo de mudar a roupa de Sarah.

Coloquei cada criança em sua cadeirinha no carro e tentei argumentar com minha filha. – Querida, acho que você não vai precisar da sua mochila para a escola bíblica de férias. Por que não deixa que ela fique no carro comigo?

– N-ã-o. Pre-ci-so dela!

Cedi então, dizendo a mim mesma que a auto-estima dela era mais importante do que o que as pessoas poderiam pensar de sua mochila cheia de coisas inúteis.

Quando chegamos à igreja, tentei recompor a roupa de Sarah com uma das mãos, enquanto segurava o bebê com a outra. Sarah, porém, afastou-se, lembrando-me das palavras que eu dissera pela manhã: – N-ã-o...eu es-tou l-i-n-d-a!

Ao ouvir nossa conversa, uma jovem professora se aproximou de nós. – Você está linda! – disse ela a Sarah. Depois pegou na mão dela e me disse, – Você pode vir buscar Sarah às 11:30. Vamos tomar conta dela. – Ao vê-las se afastarem, eu sabia que Sarah estava em boas mãos.

Enquanto Sarah ficava na escola, eu saí com as outras duas crianças para fazer algumas coisas necessárias. Meus pensamentos ficaram todo tempo tensos de ansiedade e orações desconjuntadas. Qual o futuro que nos espera? Como iríamos sustentar nossos três filhos pequenos? Perderíamos nossa casa? Essas perguntas específicas me fizeram imaginar se Deus nos amava.

Voltei à igreja alguns minutos adiantada. A porta para a capela cheia de sol estava aberta e pude ver as crianças sentadas lá dentro, em semicírculo, ouvindo uma história bíblica.

Sarah, de costas para mim, ainda agarrava as tiras de lona da mochila. O boné de beisebol, os shorts e a camisa continuavam ao contrário.

Ao observá-la à distância, senti pulsar em minhas veias uma enorme emoção. Um pensamento me veio à mente, uma frase simples: – Amo minha filha de todo coração.

A seguir, enquanto permanecia ali, ouvi aquela voz sussurrante e consoladora que compreendi ser de Deus: – É isso que sinto por você.

Fechei os olhos e imaginei o meu Criador olhando para mim lá do alto: minha vida tão semelhante ao traje de Sarah – de trás para diante, descombinada, confusa...

– Por que você está usando essa 'mochila' cheia de ansiedade, dúvida e medo? – eu podia imaginar Deus dizendo para mim. – Deixe que eu a carregue.

Senti que Deus não estava falando só para mim, mas a todos os que lutam com vidas que parecem de trás para diante, no avesso, e fora de controle. Todos queremos segurança financeira, ficar livres de doenças e imunes ao sofrimento inevitável que a vida nos traz. Mas, Deus nos chama para confiar em que tudo que precisamos será provido.

Nesses períodos vulneráveis de fraqueza é que devemos dar nossas mochilas cheias de insegurança Àquele que diz, "Você é precioso aos meus olhos e eu o amo" (Is 43:4).

Naquela noite, enquanto eu ligava novamente nosso ventilador defeituoso, agradeci a Deus por dar-me o privilégio de ser mãe de Sarah. Por meio dela, compreendi que Deus se revelara a mim de uma forma toda nova.

Você Tem Um Minuto?

David Jeremiah

Uma mãe que acabara de terminar a leitura de um livro sobre como criar filhos...ficou convencida de algumas coisas que deixara de fazer como mãe. Ao sentir isso, ela subiu as escadas para conversar com o filho. Quando se aproximou, tudo que pôde ouvir foi o som alto da bateria que vinha do quarto do garoto. Ela queria transmitir-lhe uma mensagem, mas quando bateu na porta, sentiu-se intimidada.

– Você tem um minuto? – disse ela quando o filho respondeu à batida.

– Mamãe, você sabe que sempre tenho um minuto para você, – disse ele.

– Sabe, filho, eu...eu...gosto muito da maneira como você toca bateria.

Ele exclamou, – Você gosta? Obrigado, mãe!

Ela levantou-se e voltou a descer. Na metade do caminho, compreendeu que não transmitira a mensagem que pretendia e retornou ao quarto dele, batendo outra vez na porta.

– É a mamãe de novo! Você tem outro minuto? – perguntou.

– Mamãe, como já disse antes, tenho sempre um minuto para você.

Ela entrou e sentou-se na cama. – Quando estive aqui antes queria dizer uma coisa e no fim não disse. O que pretendia dizer é que... seu pai e eu...achamos você realmente ótimo.

Ele perguntou, — Você e o papai?

– Sim, seu pai e eu.

– Que bom, mãe. Muito obrigado.

Ela saiu e estava novamente descendo, mas lembrou que faltava ainda um pedaço da mensagem, ela não dissera ao filho que o amava. Subiu então novamente e desta vez ele ouviu os seus passos. Antes que perguntasse, ele gritou, – Sim, tenho um minuto!

A mãe sentou-se na cama mais uma vez. – Sabe, filho, tentei isto duas vezes e não consegui falar. O que realmente vim dizer-lhe é que o amo, amo você de todo coração. Não se trata do papai e eu amarmos você, mas de que eu amo você.

– Mamãe, isso é maravilhoso, amo você também!

E ele deu um abraço apertado na mãe.

Ela saiu do quarto e estava no alto da escada quando o filho colocou a cabeça na porta e perguntou, – Mamãe, você tem um minuto?

Ela riu e respondeu, – Claro.

– Mamãe, – disse ele, – Você acaba de voltar de uma palestra?

Seu Amor

Linguagem nenhuma pode exprimir o poder, beleza, heroísmo e majestade do amor de mãe. Ele não se encolhe onde o homem se acovarda e aumenta ainda mais onde o homem desfalece. Sobre os restos da prosperidade mundana, ele envia a radiância de sua fidelidade inextinguível como a de uma estrela nos céus.

E.H. Chapin

Sacrifício de Amor

Kathi Kingma

Não era fácil ir a uma escola de ricaços. Fiquei observando com inveja ao ver os filhos de "ricos" dirigindo os carros esportivos dos pais e se gabando de onde compravam suas roupas de grife. Eu sabia que não havia condições de competir com a posição deles, mas sabia também que era um quase-crime usar a mesma roupa duas vezes no mesmo mês.

Vinda de uma família de cinco pessoas, com um orçamento apertado, estar na moda era fora de cogitação. Isso não me impediu de atormentar meus pais, pedindo roupas mais moderninhas. Minha mãe franzia a testa, – Você precisa delas?

– Sim, – respondia eu sem piscar, – Preciso.

Lá íamos nós então às compras. Minha mãe ficava à espera fora do provador, enquanto eu experimentava os trajes mais bonitos que podíamos comprar. Lembro-me de várias dessas viagens "necessárias". Minha mãe sempre ia sem queixar-se, nunca experimentando nada para si mesma, embora gostasse de olhar.

Certo dia quando, eu estava em casa, experimentei um de meus trajes e me exibi com ele diante do espelho de corpo inteiro de meus pais. Enquanto decidia que sapatos combinavam melhor meus olhos foram até o armário deles, parcialmente aberto. O que vi fez meus olhos lacrimejarem. Três blusas estavam penduradas do lado de minha mãe no guarda-roupas. Três blusas que ela usara muitas vezes e estavam velhas e desbotadas. Abri mais um pouco a porta e vi algumas camisas de trabalho de meu pai, que ele estivera usando há anos. Fazia muito tempo que não compravam nada para si mesmos, embora a necessidade deles fosse maior do que a minha.

Aquele momento abriu meus olhos para ver os sacrifícios que meus pais tinham feito no correr dos anos, sacrifícios que me mostraram o amor deles mais poderosamente do que quaisquer palavras que pudessem ter dito.

O dever nos obriga a fazer bem as coisas,
mas o amor nos leva a caprichar nelas.

Phillips Brooks

NATAL PERDIDO E ACHADO

Shirley Barkdale
EXTRAÍDO DE McCALL'S MAGAZINE

Nós o chamávamos de Menino do Natal, porque ele veio durante essa estação de alegria, quando tinha apenas seis dias de idade. Seus olhos já brilhavam mais do que as luzes da sua primeira árvore.

Mais tarde, à medida que nossa família cresceu, ele tornou claro que era o único especializado em escolher e decorar a árvore a cada ano. Nosso garotinho apressava a estação, preparando a sua lista antes de termos terminado o peru do Dia de Ação de Graças. Ele nos fazia cantar músicas natalinas, com nossas vozes roucas parecendo cada vez mais semelhantes às dos sapos, comparadas ao seu tom perfeito. Ele nos incentivava, guiando-nos em meio a um caos de alegria.

Então, em seu vigésimo quarto Natal, ele nos deixou tão inesperadamente como viera. Um acidente de carro numa rua coberta de neve de Denver, ao voltar para casa, para sua jovem esposa e filha pequena. Ele fizera primeiro, entretanto, uma parada na casa da família para decorar nossa árvore, um ritual que nunca abandonara.

Sem o seu espírito natalino invencível, nós éramos como dançarinos inexperientes, incapazes de continuar dançando depois da música terminar. Em nossa tristeza, seu pai e eu vendemos a casa, onde as lembranças ainda perduravam em cada aposento. Mudamos para a Califórnia, deixando para trás nosso sistema de apoio de amigos e da igreja. Movimentos errados.

Eu parecia ter feito um círculo completo, voltando àqueles primeiros anos quando só havia meus pais e eu. O Natal sempre fora uma ocasião tranqüila, atarefada, diferente daquela das casas de meus amigos, cheias de atividades e de parentes brincalhões. Prometi então que algum dia me casaria, teria seis filhos e no Natal minha casa ia vibrar de energia e amor.

Encontrei o homem que compartilhou meu sonho, mas não havíamos contado com a surpresa da esterilidade. Destemidos, nos candidatamos à adoção, ignorando as profecias pessimistas de que uma criança adotiva não seria o mesmo que "nossa carne e sangue". Apesar da coragem, não estávamos muito esperançosos, pois a lista de espera era grande. Contra todas as dificuldades, porém, dentro de um ano ele chegou e era nosso. A natureza em seguida nos surpreendeu outra vez e em rápida sucessão acrescentamos dois filhos biológicos à família. Não tantos quantos queríamos, mas comparado com minha infância solitária, três eram uma multidão inteiramente satisfatória.

Aqueles amigos tinham razão sobre os filhos adotivos não serem iguais aos biológicos. Ele não se parecia em nada com nenhum de nós. Por meio de sua hereditariedade única, ele trouxe cor às nossas vidas com o seu dom da música, seu temperamento alegre, sua inteligência viva. Ele nos fez parecer e agir melhor do que realmente éramos.

Nos dezesseis anos que se seguiram à sua morte, o tempo acrescentou capítulos às nossas vidas. Sua viúva casou-se e teve um filho; sua filha formou-se na escola secundária. Seu irmão casou-se e deu início à sua própria tradição cristã em outro estado. Sua irmã, uma artista, parecia contente com a carreira que escolhera. Seu pai e eu chegamos à idade da aposentadoria e no Natal de 1987 resolvemos voltar para Denver. O chamado para casa não fora muito claro; só sentíamos o desejo de uma ligação indefinida com algo que havíamos perdido e tinha de ser recuperado antes que fosse tarde demais.

Chegamos a Denver no final de uma nevasca. Estradas fechadas nos obrigaram a passar pelo centro da cidade, pelo Centro Cívico, iluminado por milhares de luzes – uma cena que eu não estava pronta para ver. Esse mesmo passeio tinha sido uma das tradições favoritas de nosso Menino do Natal. Ele fora inexorável em sua insistência de que todos entrássemos no carro, com as janelas embaçadas pela nossa respiração, os pneus se esforçando para vencer a neve.

Desviei os olhos das luzes e fixei o olhar nas Montanhas Rochosas distantes, onde gostávamos de subir pelas encostas em busca da árvore perfeita. Agora, ao sopé da montanha estava a sua sepultura – uma sepultura que eu não conseguia visitar.

Uma vez instalados na casa pequena, em forma de caixa, tão diferente daquela da família onde havíamos passado a nossa vida, nos encolhemos como duas andorinhas que perderam as companheiras de migração para o sul. Enquanto fiquei ali observando as montanhas cobertas de neve certo dia, ouvi o ruído súbito dos breques de um carro e depois o toque impaciente da campainha. Ali estava nossa neta e em seus olhos cinza-esverdeados e sorriso franco, vi o reflexo do nosso Menino do Natal.

Atrás dela, carregando um enorme pinheiro, entraram sua mãe, padrasto e irmão de nove anos. Eles passaram por nós num alvoroço alegre, abriram a cidra cintilante e brindaram nossa volta. Depois decoraram a árvore e empilharam embrulhos coloridos sob os ramos.

– Vocês vão reconhecer os enfeites, – disse minha ex-nora. – Eram dele. Guardei-os para vocês. –

– Eu escolhi a maioria dos presentes, vovó, – disse o garotinho de nove anos que eu mal conhecia.

Quando murmurei, numa lembrança sofrida, que não havíamos armado uma árvore durante 16 anos, nossa neta, brincalhona exclamou, – Está então na hora de entrar em forma!

Todos partiram num turbilhão, empurrando um ao outro porta afora, mas não antes de pedir que nos juntássemos a eles na manhã seguinte para o culto e depois para o almoço em sua casa.

– Oh, não podemos, – comecei.

– Claro que podem, – ordenou nossa neta, tão mandona quanto o pai. – Vou cantar o solo e quero vê-los lá.

– Levem protetores de ouvido, – aconselhou o garotinho.

Nós havíamos há muito desistido dos serviços natalinos que nos faziam sofrer; mas agora, sob pressão, sentamos rigidamente no primeiro banco, lutando com as lágrimas.

Chegou a hora do solo. Nossa neta foi apressada para o centro da nave, com um roçar de saias (o pai dela teria andado com ares elegantes), e sua voz magnífica elevou-se clara e límpida, em perfeito ritmo. Ela cantou, "Noite Feliz", que nos trouxe de volta lembranças agridoces. Numa reação emocional rara, a congregação aplaudiu exultante. Como o pai dela teria se alegrado com aquele momento!

Havíamos sido alertados de que haveria "uma multidão de gente" para o almoço – mas, trinta e cinco? Uma porção de parentes encheu todos os cantos da casa; crianças pequenas, barulhentas e exuberantes, pareciam saltar das paredes. Eu não conseguia adivinhar quem era de quem, mas isso não importava. Todos pertenciam uns aos outros. Eles nos aceitaram, envolvendo-nos em alegre camaradagem. Cantamos corinhos em vozes altas, desafinadas, salvos apenas por aquela surpreendente soprano.

Em algum momento, depois do almoço, antes do pôr-do-sol de inverno, ocorreu-me que uma verdadeira família nem sempre é nossa própria carne e sangue. É um clímax do coração. Se não tivesse sido por nosso filho adotivo, não estaríamos cercados de estranhos carinhosos que nos ajudariam a ouvir novamente a música.

Mais tarde, não desejando terminar ainda o dia, nossa neta pediu que fôssemos com ela. – Eu dirijo, – disse.

– Há um lugar onde quero ir. – Ela pulou para trás do volante e com a confiança de um motorista novato, voou para o sopé das montanhas.

Ao lado da lápide achava-se uma pedra pequena, em forma de coração, um tanto fendida, pintada pela nossa filha artista. Em sua superfície descorada pelo tempo, ela escrevera: "Ao meu irmão, com amor". Na parte de cima do túmulo havia uma coroa de Natal de azevinho brilhante. Nosso filho número dois admitiu, quando perguntado, que enviava uma igual todos os anos.

No silêncio frio, mas de alguma forma confortante, não estávamos preparados para a atitude seguinte de nossa neta imprevisível. Mais uma vez, naquele dia, sua voz, tão parecida com a do pai, elevou-se em uma canção, e as encostas da montanha vibraram com o som de "Cantai que o Salvador Chegou", ecoando de lugar em lugar até o infinito.

Quando a última nota cristalina desvaneceu-se, pela primeira vez desde a morte de nosso filho, tive uma sensação de paz, da continuação positiva da vida, de fé e esperança renovadas. O verdadeiro sentido do Natal nos fora restaurado. Aleluia!

O amor não é cego; o amor vê muito mais do que parece.
O amor vê as idéias, o potencial em nós.

Oswald Chambers

Inspiração

Lembranças Perfumadas

Sandra Pickesimer Aldrich e Bobbie Valentine
Extraído de Heartprints

Enquanto Cotha Prior passava pela loja nova que vendia cosméticos e sabonetes, as barras de lavanda perfumadas expostas na vitrine chamaram sua atenção. Sua filha Mônica iria gostar delas. Uma vez lá dentro, Cotha pegou a barra mais próxima e a levou ao nariz. O perfume a fez regressar à infância.

Lembrou-se de Margie, a menininha em sua classe da quinta ´série que estava sempre mal vestida e cujos hábitos de higiene não eram, para falar a verdade, um de seus costumes regulares. Mesmo tão criança, Cotha sabia como a opinião de suas amigas era importante. Embora sentisse pena de Margie, não podia arriscar-se a fazer amizade com ela.

Certa tarde, então, enquanto a menina Cotha coloria um mapa em sua folha de tarefa de casa, ela mencionou casualmente Margie à mãe, que parou no meio do preparo do assado e perguntou, – Como é a família dela?

Cotha não levantou os olhos. – Oh, bem pobre, acho eu, –foi sua resposta.

– Parece então que ela precisa de uma amiga, – disse a sra. Burnett. – Por que não a convida para passar a noite de sexta-feira aqui em casa?

Cotha encarou a mãe dessa vez, – Aqui? Passar a noite comigo? Mas, mamãe, ela cheira mal.

– Cotha Helen, – o fato da mãe usar seus dois nomes significava que a situação estava decidida. Não havia nada a fazer senão convidar Margie. Na manhã seguinte, Cotha sussurrou hesitante o convite no final do recreio, enquanto as amigas estavam pendurando os casacos e penteando o cabelo. Margie pareceu indecisa e Cotha acrescentou, – Minha mãe disse que está bem e mandou este bilhete para sua mãe.

Dois dias mais tarde, as duas pegaram o ônibus que as levaria até em casa, enquanto Cotha tentava evitar os olhares de surpresa no rosto das amigas ao vê-las juntas. – Será que duas meninas da quinta série já ficaram mais caladas do que nós? – Cotha pensou em outras ocasiões em que fora convidada para passar a noite com uma amiga. Elas conversavam e riam o tempo todo até o ponto em que deviam descer.

Cotha tomou finalmente a iniciativa e disse a Margie, – Tenho uma gata. Ela vai ter gatinhos.

Os olhos de Margie brilharam. – Gosto tanto de gatos.– Depois, franziu a testa como se lembrando de uma memória penosa, e acrescentou, – O meu pai não gosta.

Cotha não sabia mais o que dizer e, portanto, fingiu interesse em alguma coisa fora das janelas do ônibus escolar.

As duas meninas ficaram em silêncio até que o ônibus parou em frente da casa branca com venezianas verdes.

A sra. Burnett estava na cozinha. Ela cumprimentou Cotha e Margie com afeto e depois mostrou a mesa posta com dois copos de leite e pão de banana. – Por que vocês duas não tomam um lanchinho enquanto termino o jantar? – perguntou.

– Quando acabou o pão de banana, a sra. Burnett entregou a cada criança bonecas de papel e tesouras sem ponta. Vestir as mulheres de papel em vestidos brilhantes deu a elas algo em comum para conversar. Na hora em que lavaram as mãos para jantar, as duas já conversavam entusiasmadas sobre a escola.

Depois de arrumar a cozinha, a sra. Burnett disse, – Está na hora de tomar banho antes de dormir, meninas. – Ela ofereceu então sabonetes embrulhados em papel com perfume de lavanda. – Desde que esta é uma noite especial, pensei que vocês gostariam de usar sabonetes chiques, – disse ela. – Cotha, entre primeiro e lavo suas costas para você.

Em seguida foi a vez de Margie. Caso tenha ficado nervosa por ter uma pessoa adulta ajudando-a a tomar banho, ela não demonstrou. Enquanto a banheira enchia, a sra. Burnett derramou uma porção dupla de seu sal de banho borbulhante. – Você não gosta de banho de espuma, Margie? – indagou, como se a menina tomasse banhos assim luxuosos todos os dias.

Ela virou-se para tirar o vestido sujo de Margie e depois disse, – Vou olhar para o outro lado enquanto você tira o resto, mas tenha cuidado ao entrar na banheira. Essa marca de banho espumante faz com que ela fique escorregadia.

Uma vez que Margie entrou na água quente. A sra. Burnett se ajoelhou e passou bastante sabão na esponja de lavar antes de esfregar as costas da menina.

– Oh, como isso é bom, – foi tudo que Margie disse.

A sra. Burnett comentou como Cotha e Margie estavam crescendo rápido e que jovenzinhas lindas elas já eram. Ela ensaboou várias vezes a esponja e esfregou a pele cor de cinza de Margie até ficar rosada.

Enquanto tudo isso acontecia, Cotha estava pensando, – Oh, como ela pode fazer isso? Margie é tão suja. – Mas, a sra. Burnett continuou a esfregar alegremente e depois lavou várias vezes o cabelo de Margie. Uma vez que ela saiu do banho, a sra. Burnett secou suas costas e passou talco perfumado em seus ombros estreitos. A seguir, como Margie não levara roupa de dormir, a sra. Burnett pegou uma das camisolas limpas de Cotha e enfiou pela cabeça agora lustrosa de Margie.

Após colocar as duas garotinhas na cama, a sra. Burnett inclinou-se para dar-lhes um beijo carinhoso de boa noite. Margie ficou feliz. Quando a sra. Burnett sussurrou, – Boa noite, meninas e apagou a luz, Margie puxou as cobertas cheirosas até o nariz e respirou profundamente. Depois adormeceu quase na mesma hora.

Cotha ficou espantada com o fato da nova amiga ter dormido tão rapidamente; ela estava acostumada a conversar e rir até tarde com as outras amigas. Ao som da respiração leve de Margie, Cota ficou olhando as sombras na parede, pensando sobre tudo que a mãe fizera.

Durante o banho de Margie, a mãe de Cotha não disse nada para embaraçar a menina e nem sequer comentou como a banheira ficara suja depois dela sair do banho. Apenas esfregou, cantarolando o tempo todo. De algum modo, Cotha soube que a mãe tinha lavado mais do que a pele encardida da menina.

Anos mais tarde, Cotha já adulta, se achava na loja de cosméticos, com o sabão perfumado ainda nas mãos, pensando onde Margie estaria agora. Margie jamais mencionara os cuidados da mãe de Cotha, mas esta notara uma diferença na garota. Margie não só começara a ir à escola limpa e apresentável por fora, como também mostrava uma centelha interior, resultado talvez de saber que alguém se importava. Durante o resto do ano escolar, Cotha e Margie brincaram no recreio e almoçaram juntas. Quando a família de Margie mudou-se no final do ano, Cotha nunca mais teve notícias dela, mas sabia que ambas haviam sido influenciadas pelo comportamento de sua mãe.

Cotha sorriu, depois pegou outra barra do sabonete de lavanda. Enviaria a mesma para a mãe, com uma carta dizendo que lembrava do que ela fizera há tantos anos – não só por Margie, mas também por Cotha.

Uma Grande Dama

Tim Hansel
Extraído de Holy Sweat

Lembro-me de quando estava na quarta série e você costumava fazer coisas como ficar acordada metade da noite para costurar uma roupa de Zorro para eu usar na festa do Dia das Bruxas. Eu sabia que você era uma boa mãe, mas não compreendia que era também uma grande dama.

Posso lembrar-me de que você trabalhava em dois empregos algumas vezes e cuidava do salão de beleza em frente da nossa casa, para assegurar que nossa família pudesse pagar as contas no fim do mês. Você trabalhava muitas horas, mas de algum modo conseguia sorrir todo o tempo. Eu sabia que era uma pessoa trabalhadora, mas não compreendia que era uma grande dama.

Lembro-me da noite em que falei com você bem tarde...de fato, era quase meia-noite ou até mais que isso, e disse que tinha de representar um rei na peça da escola no dia seguinte. Você não vacilou e fez para mim um manto real, vermelho, enfeitado de arminho (feito de algodão e marcadores pretos). Depois de todo esse esforço, eu esqueci de me virar na peça, de modo que ninguém viu o resultado final do seu trabalho. Mesmo assim, você conseguia rir, amar e apreciar até essa espécie de momentos. Eu soube então que você era o que eu já sabia há muito tempo – que grande mãe você pode ser – mas não compreendi que grande, grande dama era.

Escrevi alguns livros e as pessoas pareceram gostar. Você e meu pai ficaram tão orgulhosos que algumas vezes davam exemplares deles só para mostrar o que um de seus filhos fizera. Compreendi então que grande propagandista era, mas não que grande, grande dama você era.

Os tempos mudaram... as estações passaram e um dos maiores homens que conheci também se foi. Posso ainda lembrar-me de você no funeral, de pé ali, destemida e orgulhosa, num vestido vermelho brilhante, lembrando às pessoas: – Como fomos abençoados e como somos gratos por "uma vida bem vivida". – Nesses momentos vi uma mulher que podia continuar grata em meio às mais difíceis circunstâncias. Estava começando a descobrir que grande, grande dama você era.

No último ano, quando você teve de ficar sozinha como nunca antes, tudo o que observei e experimente durante todos aqueles anos tomou forma de um modo totalmente novo. Apesar de tudo que aconteceu, o seu riso é agora mais rico, sua força é maior, seu amor mais profundo, e estou descobrindo realmente que grande, grande dama você é.

Obrigado por ter-me escolhido para ser um de seus filhos.

Todas As Crianças Chegaram?

Autor desconhecido

Enquanto a noite se escoa,
Penso nos tempos de uma velha casa no morro,
Num quintal enorme e repleto de flores
Onde as crianças brincavam à vontade.
Quando a noite finalmente chegava,
Silenciando todo o alvoroço alegre,
Mamãe olhava em volta e perguntava,
– Todas as crianças chegaram?
Faz muito, muito tempo desde então,
E a velha casa no morro,
Não mais ressoa com os passos infantis.
E o quintal está quieto, tão quieto.
Vejo, porém, tudo isso enquanto as sombras se insinuam,
E embora muitos anos se passassem
Desde então, posso ainda ouvir minha mãe perguntar,
– Todas as crianças chegaram?
Fico me perguntando se, quando essas sombras caírem
No último e curto dia nesta terra,
Quando nos despedirmos do mundo lá fora,
Cansados de nossas brincadeiras infantis,
Quando encontrarmos Aquele que ama meninos e meninas,
Que morreu para salvá-los do pecado,
Iremos ouvi-lo perguntar como mamãe fazia,
– Todas as crianças chegaram?

Minha mãe costumava olhar pela janela
todas as manhãs e dizer,
– Este talvez seja o dia em que Cristo voltará.
Ela vivia com essa expectativa diária...
Era essa a esperança de minha mãe até que se foi
finalmente para estar com Ele...

Billy Graham

O Legado da Mãe

Nunca me esquecerei de minha mãe, porque foi ela que plantou as primeiras sementes do bem em mim. Abriu meu coração para as manifestações da natureza; despertou meu entendimento e alargou meu horizonte; seus preceitos exerceram uma influência permanente sobre o curso de minha vida.

Immanuel Kant

Porque

Adria Dobkin
De seu Discurso de Oradora
ESCOLA SECUNDÁRIA DE MOUNTAIN VIEW

Minha mãe começou a tocar violoncelo aos 46 anos. Ela sempre quis aprender e, finalmente, na meia-idade, mãe de dois adolescentes, decidiu tomar lições.

Eu a ouvi arranhar, "Brilha, Brilha, Estrelinha" e progredir lentamente para outras peças mais desafiadoras. Dizer que eu não era sua maior fã é dizer pouco.

Ela me procurava com as suas frustrações, desejando desistir, e eu me calava. Não era nada afirmativa.

Aquilo me parecia um desperdício. Tocar violoncelo não era algo que minha mãe poderia acrescentar ao seu currículo da faculdade. Ela jamais tocaria com a Orquestra Sinfônica de Londres. Eu não conseguia ver o seu objetivo.

O objetivo de minha mãe, porém, não era agradar os funcionários responsáveis pela admissão ou encantar seus colegas. Fazia aquilo apenas por fazer.

Este esforço de auto-aperfeiçoamento é que resulta em uma espécie de brilho. Saber que você não fez alguma coisa especial por qualquer outra razão, mas apenas "por fazer".

Vista da Minha Janela

Robin Jones Gunn
Extraído de "*Mothering By Heart*"

Estou em casa, de volta do hospital. Que semana difícil.
O tumor era benigno. Estou "consertada".
Dúzias de grampos de prata prendem minha carne.
Lá fora as árvores estão começando a florescer.
O gramado é todo verde.
Pombos gorduchos andam empertigados no telhado
da casa amarela de Sandra.
Um esquilinho vivaz pára a todo momento
na janela do meu segundo andar.
Ele levanta as patas e aperta o nariz no vidro.
Senta e observa, como uma criança espiando
a vitrine de uma loja de brinquedos.
O que ele vê? Os muitos ramos de flores?
A cesta de cartões dos amigos, desejando-me boa sorte?
O ventilador que gira no teto? A mulher pálida,
encostada em travesseiros, que o vigia?
Oh, ei-lo aqui agora! Olá, meu amiguinho peludo.
Ele arranha o vidro, olhando de um e de outro lado.
Nas linhas telefônicas atrás dele, quatro pombas
desfilam no fio como se estivessem num palco.
Tudo que precisam é de guarda-sóis. E talvez uma noz
assada para cativar meu amigo de cauda peluda,

para que deixe de me olhar e passe a olhar para elas.
Um corredor de camisa vermelha passa na rua, espantando as
acrobatas e enviando-as para o telhado de Sandra do lado oposto
da rua, onde seis delas agora caminham e arrulham.
O mundo lá fora é ocupado. Tanta atividade. Tanta vida. E aqui?
Fecho os olhos para dormir. Para aquietar minha alma.
Para restabelecer-me.
O perigo passou. Estou boa. E nunca terei outro filho.
Aos 39 essas notícias não deveriam chocar-me.
Uma amiga afirmou que deveria sentir-me aliviada.
Mas, durante anos fiquei imaginando que talvez pudesse
haver mais uma vida pequenina dentro de mim,
esperando para nascer.
Agora é evidente que a resposta é não.
O que você está olhando sr. Esquilo?
Nunca viu uma mãe chorando?

O que Realmente Importa

Daqui a cem anos
Não mais importa
Que tipo de carro eu dirigia
Em que tipo de casa vivia,
Quanto dinheiro tinha em minha conta bancária.
Nem qual a aparência de minhas roupas.
Daqui a cem anos, porém,
O mundo talvez seja um pouco melhor
Porque eu fui importante
Na vida de uma criança.

Quando a Lua não Aparece

Ruth Senter

A lua costuma parecer geralmente mais brilhante nas noites claras de maio, no leste da Pensilvânia. Hoje, porém, ela se acha ausente. Tudo está escuro. Noto círculos castanhos sob a lâmpada no corredor quando mamãe nos recebe às duas da manhã, ao chegarmos de Illinois. Noto também círculos castanhos sob os olhos dela. Manchas que eu nunca tinha reparado antes. Pele cansada sob rugas delicadas.

Aqui está ela, minha mãe há 40 anos. Sinto um acúmulo de noites esperando a chegada dos filhos, como se os anos tivessem lançado as sombras da lâmpada sobre o seu rosto. Vejo os anos nas veias negras e azuis que exatamente nesta semana foram examinadas pelo cardiologista. Ouço os anos – como o ruído do oceano ouvido numa concha – no diagnóstico do médico. – Bandeira vermelha... coração aumentado...reduza o ritmo... – Eu olho incerta. Mamãe sempre foi uma rocha firme através dos anos. O amanhã fora uma promessa assumida – uma longa fila de casamentos na família, nascimentos, formaturas, recitais de música, ordenações, Natal, Páscoa, Dia de Ação de Graças. O tempo tem sido um acontecimento e não uma seqüência.

Enquanto olho para minha mãe, sinto que alguém deu corda no relógio. O tempo tem agora uma cadência. Os anos se tornaram um diferencial. A história tem um começo e um fim. Tremo no frio da madrugada. Mas, então, os braços de minha mãe me rodeiam de calor e estou em casa. Um filho de 40 anos confortado pelo toque da mãe. Não há tempo no toque. Os braços acolhedores não conhecem os anos.

Ouço a chaleira assobiando, os biscoitos de chocolate recém-saídos do forno estão à espera na velha bandeja da avó Hollinger. Os biscoitos de chocolate de minha mãe e a bandeja da avó Hollinger me empurram de volta ao infinito. Tomamos chá de hortelã e rimos com uma história boba contada por meu pai. Nosso riso oculta o barulho do relógio. Não há tempo no riso. Mamãe ri mais alto que todos. Círculos negros. Círculos cansados mas alegres. Seus filhos estão em casa.

Por um momento esqueço as veias machucadas e o tique-taque dos relógios. Estou presa a coisas que não mudam – o bom-dia de uma mãe, biscoitos frescos de chocolate, uma bandeja antiga, chá de hortelã, um relógio de lareira, e risos. Estou presa a um Deus que não muda. Conheço o Deus do tempo que está, todavia, acima do tempo. Esta noite, na face de minha mãe, vejo o estranho paradoxo do tempo e da eternidade. Um vislumbre raro do divino.

Sou a Oração de uma Mãe

Autor desconhecido

Sou a oração de uma mãe: Algumas vezes me vejo vestida em belíssima linguagem, costurada com as agulhas do amor nas câmaras silenciosas do coração, e outras vezes estou trajada apenas com as frases hesitantes, interrompidas por lágrimas, arrancadas como raízes vivas do solo profundo da emoção humana. Observo freqüentemente a noite. Vi muitas vezes a manhã romper sobre os montes e inundar os vales de luz; o orvalho dos jardins foi removido de meus olhos enquanto eu esperava e clamava junto aos portões de Deus.

Sou a oração de uma mãe: não há linguagem que eu não possa falar; nenhuma barreira de raça ou cor faz meus pés tropeçarem. Nasço antes da criança vir ao mundo e da chegada do dia do parto. Já fiquei perto do altar do Senhor com o dom de uma vida não-nascida em minhas mãos, misturando minha voz alegre e chorosa com as orações e lágrimas do pai. Já corri à frente da enfermeira pelos corredores do hospital, orando para que a criança fosse perfeita, e fiquei surda e muda na presença da alegria diante de um pedacinho de humanidade, tão aturdida que não pude fazer nada além de roçar os dedos pelas harpas de gratidão e dizer, – Obrigada, Senhor!

Sou a oração de uma mãe: vigiei o berço; sustentei uma casa inteira enquanto esperávamos pelo médico. Já preparei um remédio e segurei um termômetro marcando 40 graus. Suspirei de alívio ao ver o suor sob os cachos de uma criança, porque a crise passara. Fiquei ao lado de uma sepultura e peguei algumas flores para levar comigo como recordação, abraçando as promessas de Deus para ficar firme e esperar até que pudesse sentir debaixo de mim os braços eternos.

Sou a oração de uma mãe: andei e me ajoelhei em cada quarto da casa, acariciei o velho Livro, sentei-me silenciosa à mesa da cozinha, e fui lançada ao redor do mundo para seguir um rapazinho que foi para a guerra. Procurei em hospitais, em acampamentos do exército e campos de batalha. Segui obstinadamente os passos de filhos e filhas na faculdade e universidade, procurando emprego na cidade grande. Estive em lugares estranhos, chegando a ir até mesmo a espeluncas e inferninhos, a clubes noturnos e bares, a vielas e ruas escuras. Andei de automóvel, de avião e de navio, procurando e protegendo, guiando, aconselhando, arrastando e puxando em direção ao lar e ao céu.

Sou a oração de uma mãe: Já enchi despensas com provisões, quando as provisões terrenas desapareceram. Cantei canções na noite, quando nada havia sobre o quê cantar, além da fidelidade do Senhor. Fiquei tão perto das promessas da Palavra que a impressão da sua verdade está fragrante à minha volta. Demorei-me nos lábios dos agonizantes, como uma trêmula melodia enviada do céu.

Sou a oração de uma mãe: Não fiquei sem resposta, embora a mãe possa ter partido, embora o lar possa ter-se desmanchado em pó, embora a pequenina lápide no cemitério esteja quase apagada. Permaneço aqui e enquanto Deus for Deus, e a verdade for verdade, e as promessas de Deus forem "sim e amém", continuarei a implorar, a conquistar, a esforçar-me e suplicar pelos meninos e meninas cujas mães estão na Glória, pois fui designada embaixatriz pelo rei Emanuel. Sou a oração de uma mãe.

Não meça a riqueza por aquilo que possui,

mas pelas coisas que são suas

e pelas quais não aceitaria dinheiro.

Anônimo

Mulher Virtuosa

"Levantam-se seus filhos e lhe chamam ditosa;

seu marido a louva, dizendo:

Muitas mulheres procedem virtuosamente,

mas tu a todas sobrepujas!"

Provérbios 31:28,29

AGRADECIMENTO

Uma busca diligente foi realizada para investigar a autoria original e, quando necessário, permissão para reimprimir foi obtida. No caso de ter deixado de dar o crédito devido a qualquer pessoa, peço que aceitem minhas desculpas. Se entrarem em contato com a Multnomah Publishers, Inc., Post Office Box 1720, Sisters, Oregon 97759, ou no Brasil com a editora Hagnos Ltda, Rua Belarmino Cardoso de Andrade, 108 - 04809-270, São Paulo SP, será feita uma correção antes de novas impressões. Por favor, enviem informação detalhada.

Os agradecimentos são listados pelo título da história, na ordem que aparecem no livro. Para obter permissão de utilizar qualquer das histórias, pedimos solicitá-la da fonte original citada abaixo. Agradecemos os autores, editores e agentes que conseguiram permissão para reimprimir essas histórias.

UM TRIBUTO ÀS MÃES

"Achei Você Ali", de Kathi Kingma. Usada com permissão da autora.

PRIMEIROS ANOS

"Carta de Uma Mãe a Um Filho Iniciando o Jardim-de-Infância"

de Rebecca Christian, © 1997. Usada com permissão da autora. Todos os direitos reservados.

"Este É Um Lar Onde Moram Crianças" de Judith Bond. © 1989. Usada com permissão. Judith Bond é poetisa e artista, residindo no interior do estado de Nova York. Ela é autora de "Books of Love" e outros produtos ótimos para presentes, apresentando sua poesia e ilustrações.

"Bênção Dupla" de Kathryn Lay, © 1997. Kathryn Lay é escritora freelance e mora em Arlington, TX. Seus escritos foram publicados em Guideposts, Woman's World, e Chicken Soup for the Mother's Soul. Contatos com ela podem ser feitos em Rlay 15@aol.com. Usada com permissão da autora.

"Nova Maternidade" de Pamela Scurry. Extraído de *Cradle and All: Everything for Welcoming the New Baby,* © 1992 de Pamela Scurry. Usada com permissão.

"Café com os Ursos Polares" de Allison Harms, escritora freelance, Lake Oswego, OR © 1998. Usada com permissão da autora.

"Tempo Só Para a Mamãe" de Crystal Kirgiss. Usada com permissão da autora, colunista do *Detroit Lakes Tribune,* Minneapolis, MN, © 1996.

"Cartas de Amor Para Meu Filho Não Nascido" de Judith Hayes. Usada com permissão da autora. A história dessas "Cartas de Amor" brotou do coração de uma futura jovem mãe. Tive uma infância muito triste, mas estava decidida desde o início a expressar meu amor por meus filhos. Sasha é hoje uma enfermeira pediátrica e tem um casamento feliz.

CRESCENDO

"O Que Uma Mãe Diz" de Robin Jones Gunn. Extraído de *Mothering by Heart,* © 1996 Robin Jones Gunn. Usada com permissão da Multnomah Pbulishers, Inc., Sisters, OR.

"Não Mais Beijos Lambuzados" de Erma Bombeck, extraído de Forever Erma © 1996 do espólio de Erma Bombeck. Usada com permissão da Andrew McMeel Publishing. Todos os direitos reservados.

"Vendo Uma à Outra Em Uma Luz Diferente" de Susan Manegold, © 1998. Usada com permissão da autora. Impressa originalmente na revista *Woman's World.*

"Ela Tem Dezessete Anos" de Glória Gaither. Extraído de Let's Make a Memory por Glória Gaither e Shirley Dobson, © 1983. Word Publishing, Nshville, Tennessee. Todos os direitos reservados.

"Visita dos Filhos Adultos" de Erma Bombeck, extraído de Forever Erma © 1996, do espólio de Erma Bombeck. Usada com permissão da Andrew McMeel Publishing. Todos os direitos reservados.

"Algum Dia" de Charles Swindoll. Extraído de *Come Before*

Winter & Share My Hope © 1985 por Charles Swindoll, Inc. Usada com permissão da Zondervan Publishing House.

"Temporada do Ninho Vazio" de Joan Mills. Reimpresso com permissão do *Reader's Digest* de janeiro 1981, © 1981 da Reader's Digest Association Inc.

AMOR

"Os Bóbis" de Linda Goodman, © 1997. Linda Goodman, autora/contadora de histórias/dramaturga, nasceu nas Montanhas Apalaches na Virgína, U.S.A., e vem compartilhando suas histórias em todo o país há dez anos. Contatos com a autora podem ser feitos pelo telefone 804.778.7456 ou por e-mail: happytales@aol.com. Usada com permissão.

"Seu Caminho de Amor" de Clare DeLong. © 1996. Usada com permissão da autora. Clare contribuiu com artigos para *Contents of the Weaker Vessel* e *Our Hope,* informativos cristãos; e também para a revista Christianity. Ela mora na parte norte de Illinois.

"O Presente de Annie Lee" de Glenda Smithers, © 1997. Glenda Smithers é diretora de pré-escola, oradora pública e autora de três livros de missões para crianças. É mãe e avó em Kingsville, MO. Usada com permissão da autora.

"Filhos Especiais, Meus e de Deus" de Nancy Jo Sullivan. Extraído do *The Catholic Digest,* setembro 1993, © 1993 por Nancy Jo Sullivan. Usada com permissão da autora.

"Você Tem Um Minuto?" de David Jeremiah. Extraído de *The Power of Encouragement,* © 1997 por David Jeremiah. Usada com permissão da Multnomah Publishers, Inc., Sisters, OR.

"Sacrifício de Amor" de Kathy Kingma. Usada com permissão da autora.

"Natal Perdido e Achado" de Shirley Barkdale, © 1988. Publicado originalmente na revista *McCall's*, dezembro 1988. Usada com permissão da autora.

"Lembranças Perfumadas" reimpressa de Heartprints, © 1999 por Sandra Picklesimer Aldrich e Bobbie Valentine. Usada com permissão da

WaterBrook Press, Colorado Springs, CO. Todos os direitos reservados.

"Uma Grande Dama" de Tim Hansel. Extraído de *Holy Sweat* por Tim Hansel, © 1987, Word Publishing, Nashville, Tennessee. Todos os direitos reservados.

"Porque" de Adria Dobkin. Extraído do Discurso de Oradora de Adria Dobkin; Escola Secundária de Mountain View, Bend, OR; 1999. Usada com permissão da autora.

"Vista da Minha Janela" de Robin Jones Gunn. Extraído de *Mothering by Heart*, © 1996 Robin Jones Gunn. Usada com permissão da Multnomah Publishers, Inc., Sisters, OR.

"Quando a Lua Não Aparece" de Ruth Senter. Usada com permissão da autora.

Sua opinião é
importante para nós.
Por gentileza envie seus
comentários pelo email
editorial@hagnos.com.br

Visite nosso site: www.hagnos.com.br

Esta obra foi impressa
na Imprensa da Fé.
São Paulo, Brasil.
Outono de 2012.